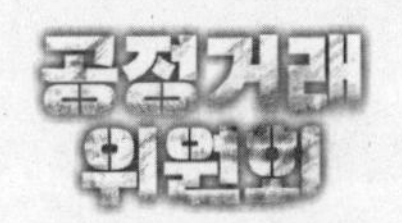
공정거래
위원회

KB123979

공정거래위원회 11

2024년 5월 16일 초판 1쇄 인쇄
2024년 5월 21일 초판 1쇄 발행

지은이 현우
발행인 김관영

기획 박경무 강민구 임동관 조익현 최시준 신정윤
책임편집 백승미 금선정
마케팅지원 유형일 장민정

발행처 (주)로크미디어
출판등록 2003년 3월 24일
주소 서울시 마포구 마포대로 45 일진빌딩 6층
Tel (02)3273-5135 **Fax** (02)3273-5134
홈페이지 rokmedia.com **E-mail** rokmedia@empas.com

© 현우, 2023

값 9,000원

ISBN 979-11-408-1430-5 (11권)
ISBN 979-11-408-1419-0 04810 (세트)

이 책의 모든 내용에 대한 편집권은 저자와의 계약에 의해
(주)로크미디어에 있으므로 무단 복제, 수정, 배포 행위를 금합니다.

작가와의 협의에 의해 인지는 생략합니다.
잘못된 책은 구입처에서 바꾸어 드립니다.

질 끝판왕 사망

한명그룹
김성균 본부

현우 현대 판타지 장편소설

Contents

피란지에서 생긴 일 (2)

산짐승도 모두 잠든 깊은 중저녁.

등산객들의 발길마저 끊기자 왕릉산엔 깊은 적막이 찾아왔다.

지금은 원래 저녁 예불로 한창 바빴을 시간이지만, 오늘 사천사 스님들은 꼼짝없이 대웅전에 집합당해야 했다.

"쯧쯧- 우리 현각(賢覺)의 성질 머리를 어이할꼬?"

"……."

"백주대낮에 아주 큰 망신을 샀구나."

현각스님이 오늘 인부들과 대거리했단 사실은 이미 사천사에 파다하게 퍼진 터였다.

이성을 잃은 현각은 인부들의 멱살을 잡았고, 인부들도 이에 지지 않으며 큰 몸싸움이 벌어졌다.

준철과 서 팀장이 중간에서 뜯어말리지 않았다면 유혈 사태로 번졌을지도 모른다.

"주지스님, 억울합니다."

"억울?"

"여기 두 처사님께 물어보십쇼. 그자들이 먼저 모욕적인 언사를 내뱉으며 부처님을 욕보였습니다. 불자가 이것을 어찌 참는단 말입니까."

그간 쌓인 게 많았던 다른 스님들도 슬그머니 동조했다.

"주지스님, 오죽하면 현각스님이 그랬을까 싶습니다."

"사실 인부들 말씽은 이번 한 번이 아닙니다. 사찰 주변에서 어찌나 술 고기를 자시는지, 아주 주지육림이 따로 없었습니다."

"저희도 몇 번이나 커피 돌리면서 타이르려고 애썼습니다. 근데 도무지 말이 통하지 않아요."

"어찌하여 저희 불자들에게만 그리 가혹하십니……."

콰콰쾅!

주지스님 앞에 있던 예불탁자가 순식간에 엎어졌다.

"시끄럽다, 이것들아! 예수는 오른뺨을 맞으면 왼뺨을 내밀라 했고, 공자는 덕으로 네 원수를 용서하라 했느니라. 한데 부처님을 따르는 놈이 무어라 지껄였다고?"

주름 가득한 노인이었지만 그 위엄은 실로 상당했다.

그 드세 보이던 스님들이 한순간에 입을 다물지 않겠나.

"죄, 죄송합니다. 스승님."

"아니, 다시 지껄여 봐. 그 인부들에게 무어라 지껄였다고?"

"……경찰에 불법체류자 신고하겠다 했습니다."

"이런 못되어 처먹은 놈! 거기에 부처님의 가르침이 어디 있느냐? 부처님이 이웃의 허물을 경찰에 신고하라 가르쳤더냐."

주지스님 또한 인부들의 말썽에 대해선 귀 따갑게 듣고 있었다.

사찰 주변에서 술 담배를 거리낌 없이 하고, 공사를 시도 때도 없이 진행해 예불까지 방해받고 있었다. 이에 대해 문화재청 관리자에게 몇 번 건의도 해 봤지만 나아지는 건 없었다.

화가 날 법도 한 일이지만 그는 달리 생각하기로 했다.

결국 그 인부들도 사천사에 보탬이 되는 고마운 인연들 아닌가.

"왜? 속세 사람들이 술, 담배, 고기 냄새 피우니, 우리 승려들은 소싯적 생각이 난 모양이지?"

"아, 아닙니다."

"그럼 그 심통부터 버려. 인부들이 담배를 피우면 안전한 곳에서 피울 수 있게끔 거처를 마련하고, 고기를 자시고 싶어 하면 오늘은 힘든 공산가 생각해서 가서 벽돌이라도 한

장 날라 주라고."

"……."

"이건 원수를 사랑하는 것보다 훨씬 더 쉬운 일이야. 결국 다 우리 사천사를 위해 봉사해 주는 사람들 아닌가?"

"그, 그렇습니다."

구구절절 옳은 소리에 아무도 입을 열지 못했다.

"옷깃만 스쳐도 천년의 인연이라 하였다. 이 사천사를 세운 영운대사는 처마 밑에 든 손님도 극진히 대접했느니라. 그놈이 비를 피해 온 도둑놈이라도."

"……."

"한 번만 더 이런 소란 떨면 내 여기 있는 이들 다 파문시켜 버릴 게야."

주지스님은 평소 온화하며 덕이 많은 분이었지만, 한 번 화가 나면 그 끝을 알 수 없는 이였다.

방금 내뱉은 말도 전혀 과장이 아니리라.

"예……. 알겠습니다."

"저희들 덕이 부족했던 것 같습니다."

모두가 납작 엎드려 고개도 들지 못할 때 주지스님의 말이 이어졌다.

"현각아, 아니, 현각스님."

부름을 받은 현각스님은 침을 꼴깍 삼켰다.

보통 주지스님이 이렇게 존대할 땐 항상 큰 엄벌이 뒤따랐

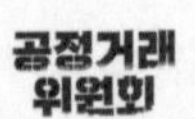

다.

"귀승께선 아무래도 아직 속세에 대한 미련을 떨치지 못한 것 같구려."

"소, 송구스럽습니다."

"하니 당분간은 먹지도, 말하지도 말고 번뇌를 떨치는 데 최선을 다하는 것이 어떻겠소. 고행의 끝엔 부처님의 귀한 가르침이 기다리고 있을 것이오."

젠장. 왜 불안한 직감은 틀리는 법이 없을까.

한마디로 금식기도에 묵언수행, 108번뇌까지 올리라는 소리다.

"그리하겠습니다."

"한층 성숙해진 현각을 기대해도 되겠지?"

"아무렴요. 꼭 그리하겠습니다."

이는 곧 다른 스님들에게 던지는 경고 메시지나 다름없다.

"앞으로 이와 같은 불상사가 더 이상 있어선 안 되네. 다들 알아들었을 게야."

"예."

"모두 이만 물러가."

스님들이 모두 물러가자 주지스님이 긴 한숨을 내쉬며 준철의 손을 덥석 잡았다.

"이거 참 제가 큰 신세를 졌습니다. 두 귀인이 아니었다면 오늘 현각은 큰 실수를 저질렀을 겝니다."

준철과 서 팀장은 스님들의 집합(?)에 진땀을 쓸어내려야 했다.

사찰의 법도가 엄격하다는 건 알고 있었지만 이 정도일 줄이야. 일반 기업 임원 회의도 이렇게 숨 막히진 않을 터다.

사찰 회의도 회의지만 승려들을 휘어잡는 주지스님의 카리스마엔 감탄마저 느껴졌다. 제3자인 자신이 봐도 숨이 턱턱 막힐 만큼 압도적인 모습이었다.

"말씀은 전해 들었습니다. 두 처사님께선 공무원이시라고요."

"예. 서울 공정거래위원회에서 일하고 있습니다."

"제가 사실 세속일은 잘 모르지만 공정위가 뭘 하는 곳인지는 압니다. 참으로 귀한 곳에서 일하시는군요."

방금 전 현각스님을 호통칠 때와는 아주 딴판인 목소리다.

위압감 넘쳤던 주지스님이 칭찬을 다 해 주자 얼굴이 다 황송해졌다.

"여기 계신 두 분이 아니었다면 우리 현각이 더 큰 추태를 부릴 뻔했습니다. 이거 원 불자로서 면목이 없군요."

"아닙니다. 원주민과 마찰 없이 끝나는 공사가 얼마나 있겠습니까. 저흰 늘 보는 일입니다."

"그리 말해 주시니 감사합니다."

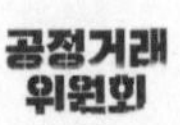

준철은 기회를 틈타 슬쩍 물었다.

"근데 주지스님께선 여기 사찰 관리인이십니까?"

"예. 제가 사천사 주지 겸 사찰 관리인까지 맡고 있습니다."

"아이고……. 업무가 막중하시겠군요."

가려운 곳을 긁어 주자 주지스님의 한숨이 이어졌다.

"네. 사실 국보급 문화재는 사찰 관리자를 따로 둔다고 하는데……. 여기 사천사는 그리 규모가 큰 곳은 아니어서요. 부득이 이 늙은이가 사찰 관리자까지 맡게 되었습니다."

"그런 사연이 있었군요. 어쩐지……."

"무슨 말씀이신지요. 어쩐지라니……?"

이 얘길 해야 하나 말아야 하나.

"사실 전문 관리자가 아니라는 게 좀 티가 났습니다."

"그게 무슨 말이죠?"

"사천사 입구에 들어서니 무슨 최루탄이라도 맞은 듯 눈과 목이 따가웠습니다. 사찰 주변이 전부 다 분진투성이더군요. 그리고 복원 공사 주변에 안전 펜스도 치지 않았고, 인부 통솔도 전혀 안 되는 것처럼 보였습니다."

"……."

사실 경악스러웠다.

한명건설에서 일하며 수많은 공사판을 다녀봤지만 이런 개판은 또 처음이다. 방음 펜스가 없으니 공사 소음이 귀청을 뚫었고, 급수차가 없으니 곳곳에서 분진이 떠다니고 있었다.

인부들은 또 어떤가.

용접장에서 담배를 피우는 건 예사고, 안전모도 쓰지 않고 투입되는 인부들이 태반이다. 상황이 이 지경인데 통솔자는 눈 씻고 찾아볼 수도 없다.

"혹시 현장에서 사고 같은 건 없었습니까?"

"들어 보진 못했습니다만……. 왜요?"

"저런 현장에서 사람이 안 다칠 수가 있나 싶어서요."

"그 정돕니까……?"

"네. 만약 주지스님께서 사찰관리인이시면 통솔자 한번 만나 보십쇼. 저대로 두다간 큰 사고 한번 나겠지 싶습니다."

그리 말하자 주지스님 얼굴이 소용돌이치기 시작했다.

"……만나 주지를 않더군요."

"예?"

"그 현장 통솔자 말입니다. 저도 몇 차례 만나 보려 했었지만 아예 시간도 내주질 않았어요."

"아니……. 현장관리자가 왜 안 만나 줍니까? 시공 업체는 사찰관리인이 부르면 바로 달려와야 하는데."

"저도 모르겠습니다. 문화재청 관리자에게 몇 번이나 자리 좀 마련해 달라 했는데……. 시공 업체는 만날 수 없었습니다."

어이가 없었다. 사찰관리자가 시공 업체를 한 번도 만날 수 없었다는 게 물리적으로 가능한 일인가?

시공 업체는 감독자를 파견하여 24시간 현장을 통솔해야 할 의무가 있다.

이들은 인부들 통솔은 물론, 현장에서 벌어지는 작은 사고까지 일일이 기록하며 상부에 현황을 보고해야 한다.

그런 이들의 주된 업무 중 하나가 바로 원주민들과의 마찰을 조율하는 일. 바로 지금과 같은 상황에서 갈등을 중재해야 하는 것이다. 근데 그 사람의 얼굴을 구경도 못 해 봤다고?

'이건 학부모가 담임선생 얼굴 한번 못 봤다는 거하고 똑같은 격 아닌가……?'

준철의 얼굴이 굳어지자 주지스님이 용기 내어 물었다.

"사실 오늘 제자들을 꾸짖긴 했지만 저도 걱정이 이만저만 아니었습니다. 다른 건 그렇다 쳐도 공사 시간이 너무 불규칙했거든요."

"공사 시간요?"

"네. 어떨 땐 새벽부터 공사에 들어가고, 또 어떨 땐 늦은 저녁까지 공사를 하고……. 아주 중구난방이었습니다."

불규칙한 공사 시간 때문에 예불시간이 완전 초토화되었다.

참다못한 주지스님도 문화재청에 몇 번 건의를 넣어 봤지만 돌아오는 대답은 '원래 공사란 것이 그렇다'는 무성의한 대답뿐이었다.

"저도 사실 속세를 등진 지 오래라 이게 당연한 건 줄로 알았습니다. 어디 가서 물어볼 데도 없고……. 근데 원래 이런 게 아닙니까?"

준철은 긴 한숨을 내쉬며 그를 응시했다.

"전문가로서 솔직히 말씀드려도 될까요?"

"예."

"이런 공사를 1년이나 참았던 스님들이 용할 정도입니다."

"……예?"

"만약 시내 한복판에서 이런 공사를 진행했다면 원주민들한테 매장을 당했을 겁니다. 공사 현장에 방음펜스랑 급수차 없는 건 말이 안 되는 일이고요. 인부들을 저렇게 통제 못 하는 건 더더욱 말이 안 되는 일입니다."

주지스님의 얼굴이 쩍 갈라졌지만 준철의 팩트 폭행은 멈추지 않았다.

"이건 단순히 사찰 주변에서 고기를 먹느냐 안 먹느냐의 문제가 아닙니다. 보니까 인부들이 용접장 주변에서 버젓이 담배를 피우고 있더군요."

"그게 안 되는 거였습니까?"

"안 되다마다요. 주유소에서 담배 피우는 격입니다. 가스통 터지면 인부들 안전은 물론, 산행객들의 안전도 장담할 수 없습니다."

안전이란 말로 에둘러 말했지만 결국 누군가가 죽을 수도 있단 얘기다.

그 뜻을 제대로 알아들은 주지스님의 안색이 시퍼렇게 변했다.

질 끝판왕 사망

한명그룹
김성균 본부

위기의 문화재

주지스님은 내친김에 그간 있었던 모든 일들을 설명해 주었고, 그것들은 대개 들을수록 기가 차는 이야기들이었다.

문화재 복원 공사를 진행하는데 사찰관리인의 동의가 전혀 없었더란다.

물론 주지가 사찰의 소유자는 아니니 인내심을 십분 발휘해 여기까진 이해해 줄 수 있었다.

"수의계약요?"

"예."

하지만 본 공사가 수의계약으로 진행되었단 애기엔 반사적으로 욕이 튀어나올 뻔했다.

수의계약은 공개 입찰을 통하지 않고 특정 기업을 선택하는 방식을 뜻한다. 당연히 비리의 온상이 될 수밖에 없으니 그 여건이 까다롭다.

대개 규모가 작은 사업, 혹은 수해 복구처럼 긴급한 상황에서 예외적으로만 허락된다.

하지만 지금은 약 5억대 복원 공사로 규모가 작지도 않았고, 그다지 긴급한 상황도 아니었다.

대체 이런 공사를 왜 공개 입찰로 선정하지 않았는지, 문화재청의 저의가 궁금해질 지경이었다.

"어쩐지……."

주지스님은 이제 준철의 입에서 어쩐지란 말만 나와도 경기가 나올 것 같았다.

"또 왜 그러십니까?"

"인부들이 다 외국인 노동자들이더군요."

"그게 큰 문제가 되는 겁니까?"

"진짜 외노자면 문제가 안 되지만 불체자면 얘기가 다르죠."

"처사님……. 저흰 이웃의 허물을 경찰에까지 신고하고 싶지 않습니다."

준철이 단칼에 고개를 저었다.

"그런 철학적인 문제가 아닙니다. 불체자 많이 쓰는 곳치고 공사비 삥땅 안 치는 곳을 못 봤거든요."

"……예?"

"솔직히 말씀드리면 저는 저 기둥도 한번 해체해 보고 싶습니다."

의심이 들다 못해 이젠 확신까지 들었다. 시멘트보다 모래가 더 섞여 있을 것이다.

사실 문화재 관리를 이렇게 부실하게 해도 되나 싶다. 각계 전문가들이 달라붙어 고려 시대 사찰 분위기를 충분히 재현하는……. 그림까진 아니어도 최소한 삥땅은 안 쳐야 할 게 아닌가.

근데 얘길 들어 보니 계약 과정부터 공사 과정까지 안 이상한 게 없다.

'이게 문화재청이라고?'

이는 준철이 알던 문화재청과 무척 달랐다.

사실 건설업계들이 대통령보다 무서워하는 게 바로 문화재청이다. 땅 파다 유물 한 점이라도 나오면 공사는 무기한 스톱되고, 이 손해는 전부 기업에게 전가된다.

계량 공사할 때 문화재청 관계자가 자리를 지키고 있으면 숨소리도 낼 수 없었다. 경주가 괜히 건설업계 입찰률 꼴찌가 아니다.

그랬던 놈들이 진짜 중요한 문화재는 이따위로 관리하고 있었다니. 약간의 배신감마저 느껴질 지경이었다.

"답은 정해졌네요. 이건 주지스님께서 크게 한번 나서야 할 것 같습니다."

순간 그의 눈이 출렁였다.

"제가 뭘 해야 할까요. 문화재청의 비리가 의심된다고 경찰에 신고를 해야 할까요?"

"아니오. 사실 현 상황만 가지고 비리 신고는 못 할 겁니다. 뭐 수의 계약도 의심되고, 공사 불량도 의심되지만 아직 결정적인 증거는 나오지 않았으니까요."

"하면……?"

"문화재청에 정식으로 민원 제기하십쇼. 공사 현장이 지나치게 엉망이다. 사찰관리인으로서 시공 업체 대표자를 만나고 싶다."

"그다음엔……?"

"있는 내용 그대로 전달하고 시정 요구하시면 됩니다."

주지스님이 슬쩍 준철의 눈치를 살폈다.

"그게 끝입니까? 관리자의 비리 같은 건……?"

"공직자 입장으로선 내부 비리를 다 파헤치는 게 맞지만 사찰 입장은 그게 아니잖아요. 일 크게 만드는 거 싫으시지 않습니까?"

주지스님은 부끄러운 마음에 차마 고개를 끄덕일 수 없었다.

제자들에게 세속적인 욕심을 버리라 일렀지만, 세속 일에 크게 관여하고 싶지 않은 것 또한 그의 세속적인 욕심이었다.

"저흰 그 심정 이해합니다. 사실 지방 건설 사업은 다 어느 정도 해 먹는 게 관례이기도 하니까요."

"……."

"근데 지금은 복원 공사만 제대로 끝나면 되는 거 아닙니까. 그것만 생각하세요."

그는 자신의 부족한 부분까지 이해해 주는 젊은 청년이 고마웠다.

"이런. 이 늙은이를 더 부끄럽게 만드시는군요."

"누구에게나 각자의 사정이 있으니까요."

"고맙습니다. 그럼 담당자에게 민원 넣어 보죠."

"네. 그리고 이건 제 명함인데 혹시 몰라 한 장 드리고 가겠습니다. 자문 같은 거 필요하시면 언제든 연락 주세요."

"감사합니다."

주지스님은 명함을 받으며 눈물을 글썽였다.

"흠……."

"……."

"하……."

"왜 자꾸 똥 마려운 강아지처럼 굴어. 뭐 할 말 있어?"

사찰에서 내려오는 길.

서 팀장이 자꾸 변죽을 올리자 참다못한 준철이 물었다.

"과장님답지 않아서 말이죠."

"뭐가 나답지 않아."

"원래 이런 구린내 맡으면 무조건 끝까지 가는 게 과장님 아닙니까. 주지스님 왜 설득 안 하셨어요? 좀만 꾀면 문화재청 고발도 했을 거 같은데."

서 팀장도 이젠 베테랑이다.

문화재청의 수의 계약과 불량 공사. 신입 사무관인 그의 눈에도 분명 큰 문제가 있어 보였다.

"그것도 사람 봐 가면서 해야지. 스님들이 속세 일에 크게 관여하고 싶겠어?"

"흠……. 아무리 그래도 찝찝합니다. 똥 싸다 말고 중간에서 나온 기분이에요."

"비유를 해도 꼭……."

"과장님, 그러지 말고 그냥 우리가 강원 공정위에 신고해버리죠. 5억짜리 국가사업을 수의 계약으로 처리? 공사판 돌아가는 거 보니 딱 봐도 시공 업체랑 문화재청 담당자의 짝짜꿍입니다."

서당 개 삼 년이면 풍월을 읊는다더니.

제법 전문가처럼 말하는 서 팀장이 왠지 모르게 기특했다. 키울 맛이 나는 부하 직원이다.

"솔직히 이건 정도가 좀 심하잖아요. 과장님 말씀대로 진

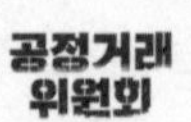

짜 아까 저 최루탄 한 방 맞은 것 같았습니다. 분진 가루가 어찌나 휘날리던지."

"최루탄 맞아 본 적은 있고?"

"아, 저도 군대에서 화생방 많이 해 봤습니다."

"최루탄은 그것보다 100배는 독해. 엄살 부리지 마."

"에이- 과장님도 솔직히 그 세대 사람은 아니잖아요. 저랑 연배는 비슷하시면서."

준철은 피식 웃었다.

학교 가면 전경이 진을 치고 있었고, 하굣길엔 최루탄으로 샤워를 하면서 집으로 갔다. 사찰이라서 그런가 유독 전생의 악업이 많이 생각나는 밤이다.

"왜 웃으세요?"

"요즘 군대가, 군대냐? 너네 화생방할 때 애국가도 안 부른다며."

"아이 참. 왜 이러시지. 과장님 때도 안 불렀잖아요."

"푸하핫."

그래, 말을 말자. 설명한다 해도 믿을 수 없겠지.

모처럼 긴 휴가를 받아서인지 잡생각이 많아진다. 대부분 다 마음이 무거워지는 생각들이다.

힘들었던 대학 시절은 추억이 된 지 오래였는데, 심 사장에 대한 죄책감은 아직도 가시지 않았다. 그 때문에 희생되었던 가족들까지도.

"과장님, 그러지 말고 우리가 한번……."

"됐다. 우린 휴가가 아니라 사실상 귀양 온 거야. 여기서 사고 치면 국장님 뒷목 잡고 쓰러져. 그리고 뭐 지방 건설사들 비리가 한두 번 있는 줄 알아?"

"아……. 원래 지방건설사들은 비리가 더 많습니까?"

"액수만 다르지 해 먹는 건 다 거기서 거기야. 쓸데없는 말 말고 내일 뭐 먹을지나 찾아봐. 너 맛집 잘 찾더라."

"제가 무슨 맛집 셔틀도 아니고……."

오랜만에 해 본 야간 산행은 나쁘지 않았다.

서 팀장이 쉴 새 없이 떠들어 주니 외롭지도 않았다.

◎

"주지스님 채비 다 끝냈습니다. 택시를 부를까요?"

"택시는 무슨. 시주받은 돈 그리 엉뚱한 데 써서 쓰나."

"날씨가 춥습니다. 몸도 성하지 않으신데……."

"내 나이에 죽으면 호상이지."

"무슨 그런 말씀을……."

"걱정 마. 고작 그 정도로 끄떡없으니까."

이튿날.

주지스님은 긴장한 기색을 감추려는 듯 거친 농담을 던졌다. 문화재청에게 연락해 어렵사리 잡은 약속 자리다.

수의 계약이 어떻고, 사찰관리인 자격이 어떻고 하는 등의 쓸데없는 소린 꺼낼 생각도 없었다. 불량 공사 문제와 인부들 문제만 정리하면 된다.

대중교통을 타고 꼬박 2시간을 가니, 문화재청에 도착할 수 있었다.

"안녕하십니까. 사천사 사찰관리인 김영민입니다. 담당자와 약속을 잡았는데 어디 계실까요?"

밝은 얼굴로 인사를 건넸는데, 어쩐지 탐탁지 않은 눈총이 돌아왔다.

"아……. 예. 사찰관리인요. 근데 어쩌죠. 과장님이 지금 자리에 없는데."

"예? 약속을 잡고 왔습니다만……."

"어제 연락하셔서 오늘 약속 잡았잖아요. 이건 스님이 좀 이해해 주셔야죠."

담당자가 심히 불친절했지만 겨우 이런 거나 문제 삼을 만큼 한가롭지 않았다. 사실 이런 불친절엔 이미 익숙한 그이기도 했다.

"여기서 기다려 주세요."

담당자는 미지근한 커피 몇 잔만 남긴 채 자리를 떠났다.

"저, 저 무엄해서, 원."

"무슨 우릴 날파리 취급하는데요. 사람 이렇게 대해도 되는 겁니까?"

주지스님은 스멀스멀 피어오는 원성을 단칼에 잘랐다.

“절밥 먹는 놈들이 인내심이 그리 짧아서 쓰간.”

“하지만 주지스님…….”

“됐어. 어차피 우리야 남는 게 시간이야. 공무원들 보채지 말어.”

하지만 공무원들은 마치 인내심의 한계를 시험하듯 함흥차사였다.

담당자를 만날 수 있던 건 한 시간쯤 지나서였다.

“아이구— 주지스님. 오랜만에 뵙습니다.”

“반갑습니다, 과장님. 그간 안녕하셨습니까.”

오명석 과장은 이미 여러 차례 만나 본 자로 이들과 안면이 있었다.

“덕분에요.”

“가정에 평안이 깃들길 기원합니다.”

“네. 한데 어인 일로?”

“지난번 연락드린 그 문제 때문에 또 뵙게 됐습니다. 공사 현장이 개선되지 않고 있어요. 괜찮다면 제가 시공 업체 대표를 만나고 싶습니다만…….”

“아이고, 스님. 요즘 어느 공사나 다 그렇습니다. 저희도 몇 번 주의를 주고 있긴 한데 아무래도 이게 예산이 없다 보니, 현장 통솔이 잘 안 되고 하는 부분이 있어요.”

늘 들었던 대답이 꼭 고장 난 녹음기처럼 튀어나왔다. 하지만 주지스님도 오늘만큼은 양보할 생각이 없었다.

"아무리 그래도 제가 사찰관리인 아닙니까."

"……예?"

"시공 업체 대표와 얘기 좀 나눠 보고 싶습니다. 이게 무리한 부탁일까요?"

심상치 않은 대답에 오 과장 얼굴이 크게 굳었다.

"뭐 안 될 건 없습니다만. 주지스님께서 이런 쪽 전문가는 아니시잖아요. 기왕이면 이런 일만 하는 저희 전문가들이 맡는 게 낫지 않습니까."

"전문가……. 뭐 그건 그렇죠."

"이거 참 죄송합니다, 스님. 얘길 들어 보니 많이 참으시고 여기까지 오셨군요."

"그건 아닙니다만……."

"한 번만 저 믿고 맡겨 주십쇼. 제가 오늘 내로 시공 업체 불러서 단단히 일러 놓겠습니다."

"아……. 예."

"이런 일은 저희가 전문가니, 혹시 또 불편 사항 있으면 언제든 말씀해 주세요."

주지스님은 계속해서 전문성을 들먹이는 바람에 준비한 말의 반도 꺼내지 못했다.

사실 오늘은 어떻게 주의를 줄 것인지에 대해서도 말하고 싶었다. 하지만 들을 수 있는 대답은 여기까지라는 것도 잘 안다.

"그럼 꼭 좀 부탁드립니다. 이 늙은이들의 예불이 너무 방해받고 있어요."

"예, 예."

"그럼 믿고 일어나 보겠습니다. 귀한 시간 뺏어서 미안합니다."

2시간 동안 걸어온 세속 여정은 불과 2분 만에 끝이 나고 말았다.

하지만 스님 일행들이 사라졌을 때, 오 과장은 싸늘한 얼굴로 변하고 말았다.

수의 계약의 최종 담당자이자, 총책임자인 오 과장이 전화를 들었다.

"어, 김 사장 난데 오늘 나 좀 봐. 아니, 사천사. 거기 땡중들 또 찾아왔어. 자기, 자꾸 이렇게 섭섭하게 일할 거야?"

◎

사천사 복원 사업은 문보국(문화재보존국) 오명석 과장 명의로 진행되었다.

사실 모든 복원 사업이 다 곡괭이 들고 땅을 파거나, 붓질로 유물을 발굴하는 것이 아니다.

남루한 절간을 재정비하고 우수한 수경 시설을 갖춰 관광

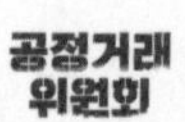

객을 유치하는 것. 이것이 사천사 프로젝트의 주요 목표였고, 깐깐하기로 악명 높은 기재부 심사도 넘어 당당하게 예산 5억을 거머쥘 수 있었다.

오명석은 평소에도 이런 크고 작은 예산을 잘 따와 문보국 살림꾼으로 통했다. 이번에도 꽤 큰 예산을 따와 내부에선 고무적이란 평가가 나왔다.

하지만 그는 늘 가장 중요한 결정에 있어서 납득할 수 없는 지시를 내리곤 했다.

"공개 입찰은 얼어죽을. 고작 이 푼돈에 메이저 건설사들이 입찰하겠어? 그냥 지역 건설사 써. 명단 만들어서 우리가 고른다."

오 과장은 지역 건설사 활성화와 번거로움을 핑계로 이를 그냥 수의계약에 부쳤다.

주변의 의심을 피하기 위해 팀장들이 선별한 20여 곳을 후보사로 올렸지만, 사실 이미 내정 기업이 있는 심사였다.

최종 결정권자인 그는 고만고만한 곳 중 유진건설을 택해 모든 일감을 주었다.

평가의 가장 큰 요소는 자신에게 얼마나 성의를 보일 수 있는지였다.

'머저리 같은 놈! 내가 얼마나 예산을 넉넉하게 따냈는데. 중간만 가는 게 그렇게 어려워?'

오명석은 복창이 터졌다.

누가 공사비 아껴 가며 일하랬나? 예산을 넉넉하게 따낸 편이라 중간에서 푼돈 좀 챙겨도 티도 안 난다.

그저 뒷말 없게끔 공사만 잘 마치면 되는 일인데……. 유진건설이 기어코 이 사달을 만들었다.

분통을 억누르며 커피를 홀짝일 때, 음산한 다방집 문이 열리며 기다리던 얼굴이 들어왔다.

"아이고- 형님. 오래 기다리셨수? 그냥 회사로 오지 왜 이런 자리로 불러요."

부름을 받고 온 김 사장은 이미 친분이 두터운지 호칭이 아주 편했다.

"미스 김, 나는 쌍화차에 노른자."

"네."

"에이, 주문만 받고 도망가는 게 어디 있어? 잠깐 앉아 봐. 미스 김 많이 예뻐졌다?"

"몰라요. 호호."

"다음 주에 날씨도 좋다는데 우리 드라이브나 갈까? 여기 계신 과장님이랑 미스 김 친구랑 해서? 흐흐. 어떠세요, 형님?"

늘 그렇듯 수위 짙은 농담을 던졌는데, 오늘따라 오명석 얼굴이 말이 아니었다.

"……쌍화차 가져올게요."

살기를 감지한 미스 김이 자리를 뜨자 분위기가 더욱 차가

워졌다.

"무슨 일 있어요?"

"야 이 머저리 같은 새끼야."

"예?"

"대체 공사를 얼마나 개판으로 하면 땡중들이 뻰질나게 찾아와!"

김 사장은 그제야 아차 싶었다.

"무, 무슨 일 있었어요?"

"비단 땡중들뿐이 아니야. 너 왜 복원 공사장에 안전 펜스 설치 안 했어? 인부들이 가스통 옆에서 담배 피우는 건 알아? 오죽하면 등산객들이 민원을 넣어 댔겠냐?"

"……."

"내가 언제 공사판 시멘트 빼먹는 걸로 시비 걸든? 그냥 중간만, 남 보기에 이상하지 않을 정도로만 해 달라 이거잖아. 너 이따위로 공사 계속할 거면 나 중도금 못 줘. 중간에 건설사 바꿀 거야."

돈 얘기에 김 사장 얼굴도 바뀌었다.

"섭섭합니다, 형님. 다 우릴 위해서 한 일인데 왜 아우 탓만 하시우."

"뭐?"

"공사장에 펜스 설치 안 한 거? 그 돈이 지난번에 형수님 드린 명품백 값이요. 불체자 인부들? 그 돈 아껴서 형님 떡값 챙겨드린 거라고요."

"이 자식이 지금! 여기서 그 얘기가 왜 나와?"

"내가 현장에서 아낀 돈, 결국 다 형님하고 노나 먹었다는 겁니다. 뭔가 나 혼자 돈 챙긴 것처럼 말씀하시니 억울하잖아요."

예산 5억 중 5천은 오명석에게 다 떡값으로 지불되었다.

이런 공사가 제대로 진행될 리 있나. 이는 결국 공사 부실로 이어질 수밖에 없었다.

김 사장이 지지 않고 맞서자 오명석은 머리털이 쭈뼛 섰다.

함부로 건들지 마라, 난 무조건 같이 죽는다. 이런 협박의 의미로 들렸기 때문이다. 그리고 이건 협박이 맞았다.

"갑자기 너무 분위기 험악해졌네. 형님, 아우가 죄송합니다. 요즘 이것저것 벌여 놓은 일들이 많아 현장 감독 잘 못 했어요."

"너 앞으로 나한테 형님이라 부르지 마."

의미가 있나.

고급 룸살롱에서 빤스 바람으로 놀며 서로 못 볼 꼴 다 본 사이인데.

"알겠습니다, 과장님. 제가 특별히 더 조심할게요. 그만 기분 푸세요."

오명석은 긴 한숨을 내쉬며 서류를 건넸다.

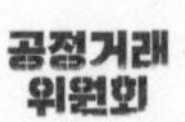

"이게 땡중들 요구 사안이다. 외노자들 관리 좀 해. 사찰 주변에서 술 담배는 좀 자제시키란 말이야. 고기도 그렇고."

"에잉- 쯧쯧. 사람이 고기 안 먹고 어떻게 일한대요. 이 땡중들은 공사가 부처님 앞에서 도 닦는 건 줄 아나."

"그것 땜에 지금 불체자 신고하네 마네까지 한다고 하더라. 일 커지면 김 사장한테 좋을 거 있어?"

낯빛이 어두워지는 김 사장이다.

현재 투입된 노동자들은 모두 불체자들로 당국에 잡혀선 안 된다.

공사장이 인적이 드문 산이라 이번만큼은 마음 놓고 불체자를 부리는 그였다.

"최소한의 공사 규칙은 지키자. 인부들 쉬는 시간 좀 줘. 자꾸 휴식도 없이 일 시키니까 주변에서 담배 피우고 술 자시고 하는 거 아니야."

"……."

"다음에도 감독자 안 두고 공사하면 우리도 그냥 못 넘어가."

하지만 김 사장 얼굴이 굳어졌다.

"그건 어렵겠는데요."

"뭐?"

"저희 그거 다 설치하고, 인부들한테 휴식 시간까지 주면 추가 공사비 들어갑니다. 근데 그 돈 지금 어디 있는지 아시잖아요. 과장님께 드린 접대는 섭섭지 않았다고 봅니다."

"너 지금 나 협박하는 거냐? 돈 받아 처먹었다고!"

"그게 아니라 저희 입장도 어쩔 수 없다는 겁니다. 결국 그거 다 지키면 추가 공사 대금 나올 텐데, 이러면 복잡하잖아요."

김 사장은 누그러진 어조로 덧붙였다.

"과장님, 어차피 두 달 뒤면 다 끝날 공사 아닙니까? 좀만 버텨 주시죠. 그 땡중들 민원 두 달만 묵살해 주십쇼. 저도 가끔 현장 돌면서 얼굴 도장은 찍겠습니다."

"그놈들이 지금……."

"어차피 지금 이거 뭐 조사가 들어간 것도 아니잖습니까."

생각해 보니 그랬다. 아직은 겨우 민원일 뿐이다.

"지금처럼 계속 허술하게 하면 누군가는 냄새 맡아."

"그 누군가가 어디 있겠습니까. 여기가 무슨 서울도 아니고."

지방 공정위는 서울처럼 살벌하지가 않다. 그렇다고 뭐 고작 5억밖에 안 되는 수의계약을 본청에서 조사하겠나?

절대로 사태는 커지지 않을 것이다.

"뭐 제가 사천사 찾아가서 사과는 한번 드리죠. 양해를 제대로 구하겠습니다. 그러니 형님도 너무 저 몰아붙이지 말아 주세요."

할 수 있는 건 여기까지.

여기서 더 밀어붙이는 건 좋지 않았다. 이놈 입에서 갑자기 무슨 말이 튀어나올지 장담할 수 없다.

"그 약속 반드시 지켜. 당분간 조심해."

"예."

그렇게 엉덩이를 든 오명석이 말했다.

"그리고 우리 거래는 이번을 마지막으로 하지. 나 개인적으로 김 사장한테 실망한 부분이 많아."

"에이- 형님."

"됐으니까 따라 나오지 마. 유종의 미라 했다. 마무리 잘할 거라 믿어."

오명석은 눈길도 주지 않으며 그대로 자리를 떠났다.

하지만 김 사장은 싱글벙글했다. 개가 똥을 끊지 돈맛 본 공무원이 어찌 뇌물을 끊나?

서울 고오급 룸쌀롱을 돌며 분내 좀 맡게 해 주면 또다시 스스럼없는 형님 아우로 돌아갈 것이다.

늘 그래 왔던 놈이다.

"현각스님, 오늘 담배꽁초는 제가 치우겠습니다."

"……."

"금식기도 때문에 몸도 편치 않을 텐데 먼저 들어가세요."

"……."

벌써 사흘째.

묵언 수행 중인 현각스님은 오늘도 한마디도 하지 않으며 담배꽁초를 주웠다.

주지스님이 다녀간 지 벌써 사흘이 지났지만 공사 현장은 아무것도 나아지지 않았다.

아침잠을 깨우는 건 새 지저귐이 아닌 중장비 모터 돌아가는 소리였으며, 예불 중엔 술 냄새, 고기 냄새가 수행을 방해하고 있었다.

"킁킁. 이거 무슨 냄새야."

"아니, 이것들이 또 고기를 구워?"

담배꽁초를 치우던 중 또다시 고기 냄새가 피어오르자 스님들의 이성이 끊기고 말았다.

"더 이상 안 되겠습니다. 내 오늘은 이것들하고 결판을 내야겠어요!"

이때 현각이 불쑥 나타나 이들의 길을 가로막았다.

"아니, 현각스님……."

현각은 성난 스님들을 말리며 자신을 가리켰다.

말은 못 했지만 자신이 해결하겠단 뜻이었다.

그렇게 스님들을 진정시킨 후 현각은 고기 냄새의 근원지로 찾아갔다.

아니나 다를까. 냄새의 근원지에선 삼겹살 파티가 한창이

었다.

풍미가 어찌나 죽여 주는지 산짐승들이 다 몰려와 고기 구경을 하고 있었다.

현각스님은 조용히 이들에게 다가갔다.

"크헉."

"컥."

어찌나 당황했는지 인부들 모두 목에 사레가 들고 말았다.

하지만 현각스님은 더 이상 분노하지 않았다. 세속 사람들을 이해하라는 주지스님의 가르침이 있지 않았나.

"우리, 우리. 일해야 돼. 고기. 고기. 필요해."

지난번 드잡이했던 외노자 한 명이 다급하게 말했다.

현각스님은 금식으로 좀 지쳐 있었지만 마음은 성숙해졌다.

그래, 그럴 수 있다. 험한 일 하는 사람들은 단백질이 필수지.

"……엥?"

오른뺨을 맞으면 왼뺨을 내밀라 했던가.

현각스님은 손수 준비한 푸성귀를 내밀며 고기 섭취를 장려했다.

이에 크게 감복한 것이지, 지난번 싸웠던 이가 연신 고개를 끄덕였다.

"죄송, 죄송합니다. 근데 우리 일해야 돼."

끄덕끄덕.

조금 공감해 주자 놀라운 광경이 펼쳐졌다. 불구대천 원수 같았던 인부들이 갑자기 눈물을 글썽이며 현각에게 사정하기 시작했다.

"사장님 나빠요. 고기 반찬 안 줘요."

"힘 안 나. 고기 반찬 없어."

"쉬는 시간 없어. 여기서 먹어야 돼."

"미안합니다, 미안합니다."

어눌한 말투였지만 무슨 사정인지 파악하기엔 충분했다.

이것이 주지스님의 가르침이었나. 그들의 사정을 듣고 보니 이들이 가엽게 느껴졌다. 이역만리 타국에서 쉬는 시간도 없이 부림을 당하는데 얼마나 힘들었겠나.

이런 자들과 드잡이했던 자신이 다 부끄러워질 지경이었다.

현각스님은 조용히 고개를 숙이며 자리를 벗어났다.

그리곤 대웅전으로 향했다.

주지스님의 좌상엔 그때 남기고 간 처사님들의 명함이 있었다.

'공정거래위원회…….'

비록 인부들에게 가엾음을 느꼈지만 이는 이 문제의 근본적인 해결이 아니다.

그는 오래 고민 끝에 마을 어귀로 내려왔다.

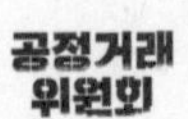

불자로서 정말 많은 고뇌가 든다. 주지스님이 지시한 묵언 수행을 지켜야 할 것인가, 아님 간절하게 도움을 요청해야 하나.

공중전화 앞에 선 그는 또다시 한참을 고민하다 수화기를 들었다.

수화음이 몇 번 가더니 익숙한 목소리가 들려왔다.

-여보세요. 이준철 과장입니다.

현각은 긴 한숨을 내쉬더니 침묵 수행을 깼다.

"처사님…… 그 개새끼들 좀 잡아 주시면 안 됩니까?"

❁

"네. 과장님. 지금 자료 다 뽑아서 메일 보냈습니다."

이른 아침 전화를 받은 배 팀장은 긴장한 투였다.

뜬금없는 연락이었다. 피란에 떠난 과장님이 갑자기 문화재청 자료를 요구하지 않겠나.

준철이 요구한 자료는 대부분 다 민감한 내용들이었고, 한 눈에 봐도 큰 사건을 준비한 것임을 알 수 있었다.

"알아보니, 청주 문화재는 대부분 다 수의계약으로 처리했더군요."

-담당자가 그 오명식인지 뭔지 하는 놈 맞아?

"오명석요. 네, 맞습니다. 수의계약은 다 그 사람 이름으로 되어 있었어요.”

누군지는 몰라도 능력 하나는 인정해 줘야 한다.

그 어렵다는 문화재 예산을 턱턱 받아 오지 않겠나. 기업이든 공무원이든 똑같다. 예산 잘 따내는 놈이 왕이다.

그 좋은 능력을 정말 문화재 복원에 힘썼더라면 지금쯤 신라, 고려, 백제 문화가 다 복원되지 않았을까 싶을 정도다.

애석하게도 능력 있는 놈에게 양심까지 바라는 건 과욕인 모양이다. 오명석이 만진 예산은 항상 지저분했고, 깊은 구린내를 동반했다.

–고생했다. 그리고 그건?

“강원 공정위에 공문 보내는 거요……?”

–그게 제일 중요해. 했지?

배 팀장은 긴 뜸을 들이다 말을 이었다.

“과장님, 이거 정말 하실 생각입니까?”

–뭔 소리냐?

“이거 공문 보내는 거 자체가 강원 공정위에 일 시키는 거 아닙니까.”

종합국은 타 부처에 일을 부탁하는 것 또한 눈치 보는 곳 아닌가.

“솔직히 말씀드리면 엄두도 안 납니다. 지금 과장님 납품 분유 사건 때문에 아직도 감사를 받고 있어요. 국장님이 아등바등 막아 주고 계시는데……. 괜히 일 벌일 필요 있나 싶습니다."

편법 처벌의 대가는 혹독했다.

감사원이 들이닥쳐 지금까지 준철의 자료를 미친 듯이 뒤져 댔다. 하지만 너무나 탁월한 일 처리 때문에 오히려 혀를 내두를 지경이란 말이 나왔다.

그렇다고 돌발 행동이 용인되는 것은 아니다.

겨우 잠잠해지고 있는데, 여기서 또 사고를 치는 건 누가 봐도 이상한 거다.

–음…… 국장님껜 좀 죄송한데.

"그쵸? 그럼 그냥 하지 마세요. 이거 어차피 우리가 맡은 사건도 아니잖아요."

전화기 너머로 종이 펄럭이는 소리가 났다.

–근데 그냥 덮어 두기엔 너무 지저분한 게 많아. 왜 이 오명석이가 만지는 예산들은 하나같이 다 지저분해?

"그야 그렇지만……."

–난 호기심이 너무 많아서 안 되겠어. 그놈이 만진 예산들 다 까 봐야겠다.

끈질기게 설득했지만 결국 과장님의 뜻을 꺾지 못했다.

–당장 보내. 내일 안으로 강원 공정위 사람들 만나 볼 거야.

"다시 말하지만 이쪽 분위기 장난 아닙니다. 그나마 국장님이 커버 쳐 주셔서 마무리되는 추세긴 한데……."

–그건 내가 따로 용서 빌 거고. 넌 내가 시키는 일이나 해.

"……알겠습니다. 보내 놓을게요."

전화를 끊은 배 팀장은 긴 한숨을 내쉬었다.

"뭐? 서울에서 공문이 와?"

"네. 그렇습니다. 사천사와 관련한 문제라는데요."

"자료 줘 봐."

서울 공정위의 뜬금없는 공문에 강원 카르텔국은 초비상이 되었다.

사실 20년 공직 생활 내내 처음 보는 광경이었다. 본청에서 오더가 내려오는 경우는 봤어도, 다른 지방 사무소에서 업무가 내려오는 경우는 없었으니 말이다.

심 과장은 한참이나 서류를 읽더니 길게 한숨을 쉬었다.

"그러니까 지금 사천사 복원 공사에 비리가 의심된다는 거야?"

"네. 알아보니 이 모든 공사가 다 수의계약으로 이뤄졌더군요."

공정위에서 일하는 사람이라면 수의계약의 폐단에 대해 누구보다 잘 알고 있다.

담당자에게 사업 선정권이 있으니 청탁 유혹에 쉽게 빠진다.

사천사 복원 공사는 5억짜리 공사로 어느 여건으로 보나 수의계약 대상이 아니었다. 하지만 오명석이란 놈은 이런 비상식적인 일을 진행했고, 그게 이번 한 번도 아니었다.

"젠장."

심 과장은 숨이 턱 막힐 것 같았다.

이 사건이 결코 사천사로 끝나지 않을 것이란 예감이 든다.

"이거 자료 보낸 건 누구야?"

"이준철 과장이라고 종합국 소속이라고 합니다."

"카르텔국이 아니라 종합국?"

"예."

"아니, 아무 연관도 없어 보이는 작자가 이런 건 왜 보냈대?"

보고를 하는 팀장도 그 연유를 몰랐다.

하지만 한 가지는 확실했다. 이 공문을 보낸 놈이 범상치 않다는 것.

팀장은 모든 연줄을 동원해 이준철이란 작자가 누군지 수소문했다. 그 결과 한번 맡으면 절대 포기하지 않는, 그야말로 꼴통 과장이란 사실이 확인되었다.

주워들은 소문을 다 설명해 주자 심 과장 입에서 다시 한숨이 나왔다.

"어휴……."

사실 마냥 무시할 수만도 없었다. 서울공정위의 과장급 아닌가.

서울과 본청에선 발에 채이다시피 많은 족속이지만 4급 서기관은 그리 만만한 족속이 아니다.

지방 공정위에서 4급 정도면 거의 국장급의 파워.

존재감 높은 사람이 이렇게 친히 공문을 보내는 걸 마냥 무시할 순 없었다.

"사실 공문 보내고 나서 바로 연락이 왔습니다. 이번 주 안으로 약속을 잡고 싶다더군요."

"약속?"

"네. 서류에 담을 수 없었던 뒷얘기를 하고 싶다 합니다."

산 넘어 산이다. 대개 이런 부류는 직접 얼굴 보는 게 부담스러운데 말이다.

"일단 좀 거절해 봐. 제 놈이 서울에서나 왕이지, 여긴 강원도야."

"그게 저…… 민감한 말도 해 왔습니다."

팀장이 조심스레 귓속말을 전하자 과장이 펄쩍 뛰었다.

"이, 이 새끼가 어디서 그런 망발을!"

"……."

"그 새끼 당장 불러와. 어디 한번 끝장을 보자."

아무래도 모욕적인 언사를 들은 모양이었다.

처음 가 본 강원 공정위는 서울 사무소와는 무척 다른 분위기였다. 도심지에 있다고는 하나 특유의 한적함이 묻어 나온다.

넥타이 부대들이 빽빽이 들이차는 여의도와는 비교도 할 수 없는 여유였다.

경치 감상은 여기까지.

준철과 서 팀장은 긴장한 얼굴로 약속 장소에 향했다.

"주눅 들지 마라. 우리가 죄지었냐?"

"민폐 끼치는 건 사실이잖아요……."

"민폐는 내가 당했지. 강원 공정위가 일 잘했으면 나도 이 법석 안 떨었어."

"네……. 저는 과장님처럼 강심장은 아닌 모양입니다."

여유로운 얼굴의 준철과 달리 서 팀장은 계속해서 긴장하고 있었다.

사실 이런 반응이 지극히 당연한 것이었다.

이건 멀쩡히 잘 지내고 있는 옆집에 불 지르러 온 격 아닌가. 갑자기 문제를 제기하고 이를 조사하겠다고 엄포를 놓았다.

불편하지만 이 관계가 파악되면 당사국에선 불편할 수밖에 없다.

왜 이런 비리를 관할청이 발견하지 못했느냐는 후속 질타가 이어질 수밖에 없기 때문이다.

그런 분위기가 물씬 반영된 탓인지 강원 지청엔 적막이 엄습했다.

준철이 신분을 밝히자 경계 가득한 시선들이 꽂혔다. 강원 공정위 직원들 모두 이 두 이방인들을 경계하고 있었다.

그러거나 말거나.

준철은 접견실에 앉아 커피를 홀짝이며 담당자를 기다렸다.

"어서 오십쇼. 제가 강원 공정위 심 과장입니다."

"예. 제가 공문 보낸 이준철 과장입니다. 실례하게 됐습니다."

이윽고 담당자가 등장했고, 매우 어색한 악수가 오갔다.

적당한 안부 인사가 오갔을 때, 심 과장이 본론을 꺼냈다.

"먼저 보내 주신 공문은 다 봤습니다. 그러니까 한마디로 저희한테 조사를 지시하는 거죠?"

"지시라기보단……. 협조라는 표현이 맞지 않나 싶습니다. 사실 문화재청의 수의계약은 문제가 좀 많아요."

"네. 보내 주신 자료 보니, 저도 좀 이상한 게 많았습니다. 한데 이 사건 어떻게 맡게 됐는지, 알 수 있을까요?"

"그냥 익명의 제보를 받았습니다."

"어디서요?"

“여러 군데에서 좀 제보를 받았어요.”

“그 출처를 알려 주실 수 있어요?”

어지간히도 이 사건을 맡기 싫은 모양이다. 별로 중요하지도 않은 얘기를 자꾸 캐묻는 걸 보면.

“저희가 그것까지 밝혀야 하나요? 익명이었는데.”

“아, 익명이었다면 어쩔 수 없죠. 다만 놀라서 그랬습니다. 사실 저희가 관할청인데, 저희조차 이 공사가 수의계약으로 진행되고 있었는지 몰랐거든요.”

뜸 들이고 있는 그에게 준철이 단도직입적으로 물었다.

“과장님, 혹시 하기 싫으신가요.”

“하기 싫다는 게 아니라, 어렵습니다.”

“어렵다니요?”

“아시잖아요. 이게 기업 간의 비리면 그냥 조사해도 되는데, 지금 우리가 건드려야 하는 건 문화재청 사람이죠. 다른 공무원 터는 게 어찌 쉽겠습니까. 그리고 문화재청은 업무 특성상 특활비가 많은 존재죠.”

준철은 그런 궤변을 들어 줄 여력이 없었다.

“특활비도 나름이죠. 문화재청이 무슨 국정원도 아니고 특활비를 이렇게 남발합니까.”

“그건…….”

“그리고 이런 공사는 당연히 썼던 예산마다 증빙을 다 부쳐야 돼요. 근데 지금 보면 온통 다 불투명합니다.”

공개 입찰의 가장 좋은 점은 바로 예산 횡령이 어렵다는 것이다. 경쟁사를 의식하며 가격을 써 내야 하니, 입찰 단계부터 터무니없는 가격을 부를 수 없다.

수의계약은 정확히 이 반대다. 눈치 볼 놈 없으니 부르는 게 값이며, 예산 횡령도 많이 일어난다.

"그거야 뭐 문화재청 나름의 사정이 있지 않겠습니까. 저도 그쪽 사업 기획서를 봤는데, 지역 건설사 활성화를 위해 일부러 수의계약을 했다더군요."

"과장님. 그건 말이 안 되는……."

"솔직히 말씀드리면 저희는 이 사건 맡고 싶지 않습니다."

정당한 이유도 없이 그냥 하기 싫다?

이쯤 얘기가 오가자 준철도 예의를 벗어던졌다.

"혹시 치부가 드러나는 게 두려워서 그러는 건 아니고요?"

"뭐?"

"아닌 말로 이 문제 지적은 강원지청이 먼저 했어야죠. 관할청 아닙니까."

"아니, 지금 싸우러 왔어요?"

"싸워서 해결될 일이면 굳이 피하진 않습니다. 물론 기분은 이해합니다. 상급 기관에서 내려온 지시도 아니고, 동급 기관에서 내려온 지신데 불쾌하실 수 있겠죠."

"내 말은 그게 아니라……."

"하지만 감정 제쳐 두고 일단은 사건 그 자체만 보자는 겁

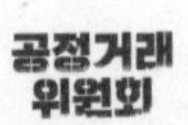

니다. 오명석 과장. 문화재청 해결사로 불릴 만큼 예산 잘 따오는 사람인데, 그 사람이 만진 예상은 이상하게도 다 구린내가 풀풀 나요."

반박할 말이 없었다.

"근데 공개 입찰은 한 건도 없고, 전부 수의계약이네요? 그것도 자기가 다 최종 결정권자인."

"……."

"만약 문제가 없다면 이것만 시정 요구하면 돼요. 외부 기관에 오해 살 수도 있으니 앞으로 계약은 공개 입찰로 진행하라. 근데 만약 문제가 있다면 그 썩은 살은 다 도려내야 할 거 아닙니까."

준철은 반박할 수 없는 사실들만 나열하며 심 과장을 몰아붙였다.

하지만 원하는 대답은 나오지 않았다. 상황이 어찌 됐건 동급 기관의 지시를 받아 자존심이 크게 상한 모양이다. 크게 터질 게 빤히 보이는 사건을 맡기도 싫고.

준철은 심드렁한 그의 얼굴을 못 이기며 결국 자리에서 일어났다.

"이거 참 아쉽네요……. 심 과장님도 순장 당하시겠어."

그제야 심 과장 얼굴에 혈색이 돌기 시작했다.

"뭐? 내가 순장을 당해?"

질 끝판왕 사망

한명그룹
김성균 본부

수의계약

"내가 순장을 당해?"

지방 공무원들은 다른 세계에 사나? 블록버스터 비리가 발견되면 피감기관까지 책임이 미친다는 걸 모르는 걸까?

심지어 이 사건은 수해 복구 사업 같은 시급성도 없으면서 5억대 공사를 수의계약에 부친, 대단히 비상식적인 공무집행이었다.

오명석이 이런 식으로 떡 주무르듯 만진 예산이 한두 건이 아니다.

"진짜로 본인 잘못을 몰라요? 시정 명령이 떨어졌어도 진작 떨어졌어야죠. 왜 국가 발주 사업을 공개 입찰 안 받고 수의계약으로 때립니까. 이러면 권한 가진 놈이 왕 노릇하는 거 몰라요?"

"……."

"내가 오명석이어도 업체들한테 떡값 챙겨 먹었겠습니다. 예산 잘 따와서 문화재청 내에선 해결사 소리 듣고, 업체들은 줄 대기 바쁘고, 5억짜리 수의계약 때려도 피감기관은 뭐가 문제인지도 모르고."

이제야 좀 상황 파악이 됐는지 심 과장 안색이 시퍼레졌다.

"순장도 내가 점잖게 표현한 거고요. 아마 독박 쓰실 가능성이 더 클 겁니다."

"독박이라니……. 그건 또 무슨 소리요."

"피감기관의 문제 지적 없었다. 공정위가 공개 입찰 명령 안 내려서 문제없는 절차라 생각했다. 오명석이가 딱 이렇게 두 마디만 하면 이 화살이 누구에게로 갈까요?"

얼빠진 얼굴을 보니 뒷일은 정말 예상도 못 했던 모양이다. 궁지에 몰린 공무원이 남의 이름 팔아먹는 건 서울에서 굉장히 빤한 래퍼토리인데.

됐다, 말을 말자. 이런 순진무구한 작자와 무슨 거사를 논한단 말인가.

슬며시 궁둥이를 들자 이번엔 심 과장이 펄쩍 뛰었다.

"아니, 이게 어떻게 다 내 잘못이란 말입니까!"

"그게 피감기관의 숙명입니다. 관리 감독 하라고 자리 앉혀 놨는데, 못 했으면 공범이지."

"나 진짜 공범 아니라니까요! 난 오명석이가 누군지도 모릅니다."

"안타깝지만 공정위 감찰부는 그렇게 생각 안 할 겁니다. 오명석이가 이렇게 떡 주무르듯 만진 예산이 한두 건이에요? 몰랐으면 무능, 알았으면 공범. 어느 쪽이든 본인 처벌은 불가피합니다."

그렇게 자리를 벗어나려 할 때, 심 과장이 호다닥 달려와 바짓가랑이를 잡았다.

"아니에요. 난 진짜 아니야. 오명석이가 누군지도 몰랐단 말이오."

"그 얘긴 저한테 하지 마시고 감찰부에……."

"이 과장님 나 한 번만 살려 주세요! 나 솔직히 강원 토박이로 자란 공무원이라 중앙 부처 사람들이 얼마나 까다롭게 일하는지 모릅니다."

읍소하는 그의 얼굴을 보니 딱한 심정도 들었다.

사실 준철도 그를 약간이나마 의심하고 있었다. 이렇게 다년간에 걸친 비리가 적발됐는데, 피감기관은 정말 몰랐다? 김성균의 상식으론 이해가 안 되는 말이다.

떡값이 100이면 그중 절반은 주변부 공무원들의 눈감아 주는 비용 아닌가. 이게 건설업계 로비의 정석이다.

"근데 난 진짜 아니에요! 그 자식들한테 백반 한 끼 얻어먹은 적도 없어.”

하지만 심 과장의 태도를 보아하니, 무능했다 뿐 양심을 팔아먹은 놈은 아닌 것처럼 보였다.

준철은 긴 한숨을 내쉬더니 그를 일으켜 세웠다.

“그럼 이 사건 맡으실 거죠?”

“네. 하겠습니다. 무조건 하겠습니다. 근데⋯⋯ 하아⋯⋯. 아닙니다.”

“하겠다면 이제 우린 협력 부처예요. 걸리는 거 있으면 뭐든 말씀하세요.”

“정황이 의심되긴 하나 그렇다고 로비의 결정적 증거가 잡힌 상황은 아니잖아요. 만약 실패하면 제가 어떤 뒷감당을 해야 할지⋯⋯.”

그의 입장에선 당연하게 할 수밖에 없는 고민이다. 이 사건을 맡는 순간 모든 조사 결과는 그가 책임져야 할 테니.

하지만 준철은 어렵지 않게 슬쩍 편법 하나를 알려 줬다.

“뭐 이런 조사에 출구 전략 하나 없겠습니까. 정 아무것도 발견 안 되면 별건 수사로 빠져나오죠.”

“별건요?”

“알아보니 유진건설이 불체자를 고용했더군요.”

“비리가 안 발견되면 불체자 고용을 문제 삼겠다⋯⋯. 이런 건가요?”

“네. 위법한 절차 없이 공사 마무리 짓는 것도 시공 업체의 의무입니다. 그것만 잡아내도 뒤탈 없을 겁니다."

일반 공사자에서도 불체자가 적발되면 벌금 300에 영업정지 7일이다.

하물며 이건 문화재 아닌가. 여론의 분노는 더욱 타오를 수밖에 없으며, 조사 실패를 정당화해 줄 좋은 변명이 되어 줄 것이다.

"근데 굳이 뒤탈 걱정할 필요 없습니다. 이건 명백한 비리 입찰이었어요. 이런 거 하나 못 잡으면 우리가 옷 벗어야죠."

처음 심 과장은 이 젊은 놈의 매사 확신에 찬 말투가 건방지게 느껴졌지만, 몇 마디 나눈 후 생각이 달라졌다.

중앙 부처 사람이라 그런가. 아님 행시 출신이라서 그런가.

강원 토박이 공무원으로 자란 자신과는 차원이 다른 조사관이란 느낌이 들었다.

얼마간 생각하던 그는 고개를 끄덕였다.

"네. 그러죠. 그럼 이제 어떡할까요? 시공 업체 공사 자료 압수가 우선이죠? 예산 5억 받았는데 분명 삥땅 친 돈 많을 겁니다. 아, 문화재청에도 당연히 공문 보내야겠죠? 왜 5억짜리 정부 공사를 공개 입찰로 진행 안 했는지 소명하라 하겠습니다. 대답 어정쩡하다 싶으면 바로 기소 쳐 버리죠."

공범으로 몰리긴 죽었다 깨어나도 싫은 모양이다.

심 과장은 누구보다 적극적인 조사관이 되어 있었다.

◎

강원 공정위의 공문 한 장에 문화재청 사무실은 밤늦도록 불이 꺼지지 않았다.

전 직원이 퇴근도 못 하고 자리를 지켰으며, 과장들이 수시로 위에 불려 갔다. 9월 정기 국감도 이러진 않았는데…….

하지만 상황은 정기 국감보다 훨씬 더 좋지 않았다.

공정위가 보낸 공문엔 지난 다섯 건의 공사 내역을 소명하라 적혀 있었다. 해당 내역은 이번 사천사 복원 공사를 포함, 모두 3억대가 넘는 공사였다.

공교롭게도 이 모두 예산 해결사로 통하는 오명석 과장의 작품이었다.

"대답해 봐, 오 과장. 왜 이 공사 모두 공개 입찰로 정하지 않고 수의계약으로 선정했지?"

평소 오 과장을 극찬해 대던 송 국장의 얼굴이 좋지 않았다.

본래 문제라는 것은 사건이 터진 후에야 보인다 했던가. 보통 수의계약은 1억 미만의 공사, 시급한 사업일 때만 제한적으로 쓰이는 것으로, 다섯 건의 공사 모두 해당 사항이 없었다.

"관례를 따랐습니다."

"관례?"

"비록 예산이 좀 오버되긴 했으나 10억, 20억 넘어가는 국책 사업 수준은 아닙니다. 고작해 봐야 5억이죠."

"그러니까 그 시공 업체를 왜 본인이 선정했냐고."

"엄밀히 말해 제가 선정한 게 아닙니다. 각 팀장들이 후보사 명단을 제출했고, 최종 선정은 여기 과장들과 상의해 선발했습니다. 지역 건설사 활성화를 위해 로컬 업체에게 가점을 주긴 했지만 편의를 봐준 적은 결코 없습니다."

숨죽이며 지켜보던 과장들 눈이 이글이글 타올랐다.

여기서 왜 우리들을 걸고넘어져? 사실상 자기가 정한 기업에 사인만 해 줬을 뿐인데.

하지만 서류만 놓고 보면 상의를 했던 것도 사실이라 아무도 불만을 입 밖에 내지 못했다.

"오 과장, 지금 협박하는 게야? 문제 생기면 여기 있는 과장들 다 걸고넘어지겠다고?"

"오해십니다. 절차적으로 문제가 있었다면 당연히 제가 책임져야죠. 하지만 국장님께서 다른 오해를 하고 계신다면 절대 아니라는 걸 말씀드리고 싶었습니다."

"다른 오해라."

국장님의 다른 오해.

이게 무얼 뜻하는지 모를 사람은 없다.

"그래, 그럼 우리 툭 까놓고 얘기하자. 다들 나가 봐."

송 국장의 지시에 다른 과장들이 허겁지겁 떠났다.

두 사람만 남게 되자 송 국장이 은근한 눈치를 보냈다.

"오 과장, 내가 자네 얼마나 아끼는지 알지? 자네만큼 예산 잘 따오는 놈 없어. 자넨 우리 문보국 무형문화재야. 내가 얼마나 칭찬하고 살았는지 알지?"

"예……."

"그러니까 불편한 질문은 딱 한 번으로 끝내지. 자네 정말 나한테 숨기는 거 없나?"

"없습니다, 전혀요."

고민도 없이 튀어나온 대답에 되레 송 국장이 놀랐다.

사실 이 질문을 던지고 놈의 반응을 살피려 했다. 시공 업체에게 술이라도 한잔 얻어먹어 봤다면 당연히 대답하는 데 조금이라도 주저했겠지.

근데 대답에 망설임이 없다.

"진짜야? 진짜로 없어?"

"예."

"오 과장, 만약 이 말이 사실로 밝혀지면……."

"국장님, 불편한 질문은 딱 한 번만 하시기로 하지 않았습니까?"

오 과장의 당찬 대답에 오히려 송 국장의 말문이 막혔다.

"물론 절차상 이런 문제가 발생했다는 데에 드릴 말씀이 없습니다. 제가 백번 잘못했습니다. 하지만 저, 지금까지 예산 따내려고 별 해괴한 짓까지 다한 놈입니다."

"……."

"그런 제가 업체들한테 술 몇 잔 얻어먹고 제 커리어에 똥칠했겠습니까. 업무상 과실이었을지언정 양심을 팔아먹진 않았습니다."

송 국장이 슬쩍 고개를 돌렸다.

"이런 내가 다 부끄럽구먼. 우리 오 과장이 예산 해결사인 건 누구보다 내가 잘 아는데."

"……."

"너무 맘에 담아 두지 마. 섭섭하게 생각하지도 말고."

"섭섭하게 생각 안 합니다. 심려를 끼쳐 드려 오히려 죄송합니다."

송 국장은 그의 어깨를 다독였다.

"망년에 액땜 한번 치른다 생각하자. 우리 지금 뭐 지역건설사 활성화다 뭐다 해서 수의계약으로 업체 선정했지?"

"예."

"그거 다 공개 입찰로 바꿔. 앞으론 뒷말 안 나오게 그냥 기계적으로 일만 하라고."

"알겠습니다. 앞으로 조심하겠습니다."

"이만 나가 봐. 우리도 퇴근 좀 하자."

그렇게 돌아서던 맡에 송 국장이 물었다.

"근데 왜 갑자기 공정위 놈들이 이걸 걸고넘어지지? 지난 5년간 한 번도 문제 제기 없었으면서."

"아마 사천사 복원 공사 때문에 그런 모양입니다."

"사천사?"

"네. 최근 그쪽 시공 업체가 외노자를 너무 부려서 승려들과 마찰이 좀 있었거든요. 그거 가지고 사찰 측에서 불법 공사니 뭐니 민원 폭탄을 넣었다 합니다. 공정위 입장에선 괜히 민원 폭탄 받으니, 저희랑 거리 두려고 이러는 것 같습니다."

송 국장은 쓰게 웃었다.

"쯧쯧- 하여간 공무원 놈들. 지들한테 똥물 한 방울 튀겠다 싶으면 극성부리지."

"죄송합니다……."

"됐다, 뭐 사정 들어 보니까 법석 좀 피우다 곧 잠잠해지겠네. 지은 죄 없으면 쫄지도 마. 만약 문제없이 끝나면 그 놈들 다 죽여 놔야 돼."

"네."

오명석은 제법 여유로운 웃음까지 지으며 국장실을 나왔다.

하지만 혼자 남게 되었을 때, 그는 완전히 사색이 되고 말았다.

꺼 놓은 핸드폰엔 부재중 전화가 60통이나 와 있었다. 공정위가 지적한 다섯 건의 업체 사장들의 조사가 이미 진행된 모양이었다.

그중 절반의 지분을 차지하고 있는 유진건설 김 사장 전화는 1분에 한 통씩 와 있었다.

오 과장은 조용한 곳으로 자리를 옮긴 후, 그에게 전화를 걸었다.

"야 이 새꺄, 내가 당분간 절대 전화하지 말랬지!"

―형님. 왜 전화가 이제 되십니까!

"이 새끼가 아직도 정신 못 차리고! 내가 전화하지 말랬지?"

―나라곤 전화하고 싶어 한 줄 알아요. 느닷없이 공정위가 들이닥쳐 우리 자료 싹 다 뽑아 갑디다. 대체 상황 어떻게 돌아가는 거요?

오명석은 잠시 눈앞이 노래져 말을 잇지 못했다.

문화재청에 공문을 보냄과 동시에 압수수색을 진행했다는 건가? 듣도 보도 못한 초유의 조사 속도다.

"그래서 자료 줬어?"

―곧 기소 칠 거라는데 어떻게 더 버텨요.

"뭐? 기소?"

―나뿐 아니라 다른 업체 사장들도 싹 다 털렸답니다. 이거 진짜 버티고만 있으면 잠잠해지는 거 맞아요?

김 사장의 뒷말은 아예 들리지도 않았다. 공정위가 벌써 기소로 협박을 했다고?

―기소 얘기 나오는 걸 보니 머잖아 형량 얘기도 나올 것 같은데…….

"시끄러. 아직 그놈들 아무것도 몰라."

—아무것도 모르는데 어떻게 이런 속도로 조사를 한답니까?

"그건 내가 알아서 해결해. 더 이상 묻지 마. 그나저나 너 진짜로 자료 다 빼긴 거야?"

초조한 심정으로 물으니 다행히도 안심스러운 대답이 돌아왔다.

—내가 바봅니까. 그 자료를 그대로 주게. 공사 원장부는 다 내 집 안방에 있고, 회사에 있는 자료는 가라 장부였습니다.

"가라 장부엔 뭐라고 꾸몄어?"

—형님이야말로 그 걱정은 마슈. 공사 인부, 기자재 전부 다 뻥튀기시켜서 예산 다 쓴 것처럼 꾸몄으니까. 그놈들 그거 가져가 봐야 소용없어.

안 쓴 인부를 쓴 것처럼 꾸몄고, 안 쓴 공사 자재를 쓴 것처럼 꾸몄다. 예산 5억짜리 공사를 4억에 끝냈지만 서류만 보면 절대로 알 수가 없다.

"확실한 거지?"

—동생이 공사 밥 하루 이틀 먹수? 웬만한 전문가가 달라붙어도 그 가라 장부 파악 못 해요. 이젠 나도 좀 물어봅시다. 그쪽에서 일처리 잘돼 가고 있는 거 맞아요?

"여긴 걱정 마라. 문화재청에서 나 의심하고 있는 놈 없어."

—그럼…….

"장부에서 이상한 점만 발견 안 되면 이대로 무혐의 처리될 거야."

—공개 입찰 안 통하고 수의계약으로 돌렸잖아요. 이건?

"그건 내 선에서 책임져야지. 걱정 마라, 그래 봤자 시정 명령이야. 앞으로만 안 그러면 돼."

현 상황이 시정 명령에서 끝나면 싸게 막는 셈이다.

비록 '예산 해결사'란 명성엔 금이 좀 가겠지만 어차피 시간이 해결해 줄 문제다.

"그러니까 여기 걱정 말고 처신이나 잘해. 특히나 조심할 건 유도심문. 그쪽에서 괜히 뭐 다아네, 마네 하는 소리에 속아 넘어가지 마라. 네가 자백만 안 하면 서로 살 수 있다."

—이제 좀 안심이 되네. 알겠습니다.

"끊자. 통화가 길었다."

전화를 끊은 오명석은 같은 전화를 나머지 사장들에게 돌렸고, 마찬가지로 안심할 만한 대답을 들었다.

앉은 자리에서 담배 한 갑을 다 비운 그는 겨우 안도의 숨을 내쉴 수 있었다.

하늘이 무너져도 솟아날 구멍은 있다더니, 참으로 다행이다. 공정위가 가져간 자료는 모두 사장들이 조작해 만든 가라 장부였다. 어지간한 공사 전문가가 봐도 잡아내지 못할 정도라 했으니, 여기서 탈이 날 일은 없다.

"옘장. 먹고살기 더럽게 힘드네."

오명석은 마지막 담배를 지져 끄며 자리에서 일어났다.

◎

"얼씨구. 무슨 양재 작업하는 데 인부들을 10명씩 투입해? 이건 또 뭐야, 어떤 미친놈이 시멘트를 톤당 16만 원에 구입해? 아니, 이건 좀 너무하잖아. 현장에 안전펜스 설치 안 한 거 빤히 다 봤는데, 장비 매입 내역이 있어?"

애석하게도 그들은 공사 전문가를 만나고 말았다.

장부를 입수한 준철은 만 하루도 지나지 않아 허위 내역들을 모조리 발견해 내었다. 쓰지 않은 인부를 고용한 것처럼 속이는 것, 허위 기자재 등 없는 내역이 없었다. 그중에는 과거 김성균조차도 하지 않았을 내용도 숨어 있었다.

"이야……. 이 새끼들 함바 비리도 저질렀네."

"함바 비리요? 그게 뭡니까?"

"인부들 반찬값 빼돌렸다고. 이거 인당 식대비 2천 원도 안 썼다."

"헉……. 그럼 인부들 밥값이 한 끼당 2천 원이라는 건가요?"

"그래."

공기밥이 여전히 1천 원인 시대.

고기를 시키면 여기에 된장찌개도 서비스로 나오는 게 한국 식당의 미덕이다.

장부를 보면 외노자들이 왜 그렇게 사찰 옆에서 고기 향을 피울 수밖에 없었는지 나와 있었다.

이 정도 식대비론 제육볶음은커녕 미역국에 들어가는 쇠고기도 못 산다. 험한 일 하는 인부들은 주린 배를 달래기 위해 사찰 옆에서 고기를 구웠을 것이다. 대부분 불체자일 테니 바깥에 나도는 것도 철저히 감시했겠지.

"서 팀장, 이거 다시 계산해. 지금부터 내가 써 주는 내역이 진짜 원장부야."

그 계산이 끝났을 땐 실로 어이없는 숫자가 나왔다.

"3억…… 8천인데요."

"확실해?"

"예. 아무리 높게 잡아도 실제 현장에 투입된 공사비는 4억이 안 됩니다."

받아 간 예산이 5억인데 실제 쓴 돈은 3억 8천이란다. 아마 그 차액 대부분은 고급 룸사롱에서 분내 맡는 데 쓰거나, 떡값으로 따로 전달됐을 것이다.

"어, 과장님. 계산 잘못했습니다. 3억 7천이에요."

"뭐?"

"여기 보니까 백화점에서 천만 원 긁은 내역이 잡히는데요."

법카를 백화점에서 긁었다? 그것도 천만 원이나?

이 또한 로비에 쓰인 돈이라는 걸 어렵지 않게 알 수 있었다. 아마 오명석이뿐 아니라 그 집 사모에게도 대단한 선물을 돌린 것 같다.

해당 내역은 나머지 다른 기업들에게서도 발견되었다. 정황 파악이 다 끝났을 땐 작은 한숨이 나왔다.

"이것들 진짜 선수네. 조사당할 때를 대비해 미리 가라 장부까지 구비하고 있었어."

"그러게요. 솔직히 과장님 아니었으면 누구도 파악 못 했을 겁니다."

"그랬겠지."

"근데 과장님께선 이런 내역을 대체 어떻게 한눈에 파악하신 겁니까."

"내가 좀 업보가 있거든."

서 팀장은 무슨 말인지 이해할 수 없었으나 굳이 이해하고 싶지도 않았다.

당장 눈앞에 산적한 과제들 따라가기에도 버겁다.

"빼먹은 기자재가 한둘이 아니네요……. 사실 이게 다 사실이면 복원 공사 자체도 다 부실했다는 겁니다."

"당연한 소릴 뭐 그렇게 비장하게 말하냐. 그럼 이것들이 당연히 복원 공사를 개판으로 했지, 정직하게 했겠어?"

"저는 예산만 오버해서 따낸 줄 알았죠. 그 오명석이란 놈이."

"둘 다야. 예산도 오버해서 따내고, 수주 받아 간 놈은 놈들 나름대로 해 처먹었어."

모든 것들이 다 드러났지만 가장 중요한 한 가지는 찾지 못했다.

바로 입금 흔적. 만약 시공 업체 법인 통장에서 오명석 계좌로 입금된 흔적이 나오면 빼도 박도 못할 로비인데, 애석하게도 거기까진 찾을 수 없었다.

하긴 이렇게 치밀한 놈들이 계좌 내역을 남기는 멍청한 짓은 하지 않았겠지.

"어떡할까요, 과장님. 얼추 보니 현금으로 주고받은 것 같은데요."

"나머지 업체들은 어떻냐?"

"수법은 다 똑같아요. 절대로 계좌로 주고받은 내역은 없었습니다."

"그래, 머리 좋은 놈들이니까 서로 현찰로 받았겠지."

준철은 별 고민 없이 서류를 넘겼다.

"기소 쳐라."

"바로요?"

"응."

"아니, 아무리 그래도……. 일단 당사자들 몰아붙이면서 자백 나올 때까지 기다려 보는 게 어떨까요? 우리가 잡은 증거도 많아서 금방 무너질 것 같은데."

"시간 낭비하지 마. 그것들은 현행범으로 잡혀도 무조건 잡아뗄 놈들이야."

지금 이 증거를 목에 들이밀어도 무조건 아니라고 발뺌할 거다.

“우리 시간 없다. 빨리 치고 빠져야 돼.”

“아, 네. 알겠습니다.”

“아, 잠깐만 서 팀장 기다려 봐.”

준철은 허겁지겁 나가는 서 팀장의 발걸음을 붙잡았다. 그리곤 어디론가 전화를 돌렸다.

“네. 심 과장님. 저 이준철입니다. 자료 보내드렸는데 보셨죠? 아이고, 아닙니다. 서울 공정위 사람들은 다 장부 보면 이 정도 밝혀내요. 다름 아니라 저희 오늘 기소 칠 건데 축하 좀 받고 싶거든요.”

“…….”

“예, 예. 뭐 지역 신문사, 지역 방송국 뭐든 다 좋습니다. 되도록 떠들썩하게 소란 좀 피워 주세요.”

전화를 끊은 준철이 서 팀장에게 눈을 찡긋했다.

“한 시간만 있다 출발해라. 레드 카펫 깔리면 가자.”

서초구와 달리 늘 한산하고 평온했던 강원 지법이 오일장이라도 열린 듯 떠들썩해졌다. 심 과장의 언질에 유수의 언론사들이 달라붙었기 때문이다.

문화재청의 비리 사건은 이 한산한 강원도를 달아오르게 해 줄 최고의 특종이었다.

게다가 슬쩍 전해 들은 바, 이러한 비리가 한두 번 있었던 일도 아니라고 한다. 의심되는 수의계약이 총 12건, 그중 다섯 건이 이미 비리 적발로 드러나 기소 절차를 밟는다.

"선배, 그 이 사건 담당자가 누구였죠?"

"오명석이. 문보국 담당과장."

"근데 오명석이면 그때 그 사람 아닌가요. 예산 잘 따와서 강원 시장한테 상까지 받은 사람."

"맞아, 그놈."

"와아……. 세상 참 오래 살고 볼 일입니다. 예산 해결사가 알고 보니 청탁 해결사였어?"

"어, 저기 온다!"

기자들이 쑥덕공론을 펼칠 때, 서 팀장이 유유히 강원지법에 들어섰다.

서울 못지않은 취재 열기로 강원지법은 다시 뜨거워졌다. 하지만 서 팀장은 준철의 지시대로 최소한의 말만 전달했다. 뒷얘기를 아껴 기자들의 추측성 기사를 난무하게 만들자는 지시였다.

이러한 덕택에 오명석이 주도한 모든 문화재 사업이 다 언론에 대서특필되었다. 약 200억대 가까이 되는 복원 사업들이 모두 공개 입찰을 통하지 않은, 수의계약으로 이뤄졌단 사실도.

여론의 거센 분노에 힘입어 업자들에겐 곧 구속영장이 발부되었다.

"과장님, 유진건설 김 사장 취조 끝났답니다. 이제 저희 차례예요."

준철은 자리에서 일어났다.

"상태 어떠냐?"

"긴장한 기색인데 쫀 기색은 아닙니다. 육개장을 아주 싹 다 비웠어요."

"그래?"

"네. 검사님들 말씀이, 그놈 검찰 문턱 들락거린 전력이 한두 번 아니라더군요."

누가 건설업계 종사자 아니랄까 봐. 역시나 더러운 게 많네.

"그럼 좋네. 어차피 우리도 숙맥은 싫은데. 자료 준비 다 했어?"

"예. 그렇습니다. 근데 저 과장님……."

서 팀장이 머리를 긁적이며 뒷말을 이었다.

"김 사장, 이거 나쁜 놈인데 정말 그 제안 하실 겁니까?"

"왜?"

"아니……. 그 자식도 나쁜 놈인데 너무 파격적인 제안이 아닌가 싶어서요."

"그 위엣 놈 잡으려면 별수 없어. 잔챙이는 풀어 줘야 돼."

"오명석이 말씀이죠?"

"응."

더 이상 묻지 않았다. 항상 최고의 조사 성과를 위해 가장 빠른 길을 가는 사람 아닌가.

"넵. 그럼 취조 준비하겠습니다."

"식사는 잘 하셨습니까."

취조실에 들어서니 웬 시건방진 사내가 자리를 지키고 있었다. 육개장 한 그릇을 말끔히 비웠다던데, 역시 취조실 한두 번 들락거린 실력이 아니다.

하지만 그것이 허세라는 것도 안다.

과거 김성균도 숱하게 많이 취조실에 들락거렸고, 여기서 먹는 밥이 모래알 씹는 기분이라는 것도 잘 안다. 한명건설의 로비로 판검사, 변호사 모두 한편으로 만들었음에도 취조실에선 먹는 밥은 늘 꿀꿀이죽 같았다.

육개장을 억지로 비워 낸 놈의 속도 속이 아닐 것이다.

"걱정해 주신 덕분에요."

"입맛에 맞았을지 모르겠습니다."

"육개장보단 설렁탕이 낫더군요. 제가 여기 밥 좀 먹어 봐서 아는데 거기가 더 죽여줘요."

전과가 때론 훈장이 되기도 한다.

놈은 여기 와 본 게 여러 차례라는 걸 은근슬쩍 어필했다.

"뭐 피차 선수니까 그냥 본론 얘기할까요?"

"그러시죠."

"떡값 얼마나 돌렸어요?"

김 사장이 얼굴을 구겼다.

"무슨 말인지?"

"공사 장부 다 뜯어 봤습니다. 아주 개판으로 쓰셨더군요. 없는 인부들 고용한 것처럼 꾸며서 인건비 뻥튀기고, 기자재 값 다 부풀려서 공사비 뻥튀기고. 아, 치졸하게 인부들 반찬값도 빼돌리셨대."

"그건……."

"현장에 설치하지도 않은 안전 펜스는 왜 비용 처리시켰습니까? 이건 건설 전문가가 아니더라도 그냥 실사 한번 나가면 다 걸려요."

숨 쉴 틈 없이 몰아붙이자 놈의 얼굴이 달아오르기 시작했다.

"됐고, 긴 얘기하지 맙시다. 우린 이 공사에 소요된 비용이 많아 봤자 4억대라 보거든요. 나머지 1억은 다 오명석 과장 떡값이었습니까."

"……그런 적 없어."

"법카 내역 보니 무슨 백화점에서 천만 원대 결제 내역이 잡히데요. 이건 사모님 가방값입니까?"

"그런 적 없다고!"

발끈하는 걸 보니 정곡을 제대로 찌른 모양이다.

다행이다. 긴가민가한 내역들도 좀 있었는데.

"김 사장님, 그러지 말고 우리가 재밌는 제안할 테니 한번 들어 보실래요?"

"뭐?"

"구명보트 드릴게요. 얼른 이 똥물에서 빠져나가세요."

처음엔 말뜻을 잘 이해하지 못했다.

"우린 어차피 잔챙이들한텐 관심 없거든. 진짜 나쁜 놈 하나 잡을 생각이니까 우리 조사에 협조 좀 합시다."

"진짜…… 나쁜 놈?"

"그래요, 오명석 과장. 우리 최종 타깃은 이놈인데, 조사 방해하지 마세요. 안 그럼 같이 죽어."

자신을 잔챙이라 부르는 조롱 따윈 귀에 들리지도 않았다.

사실 이미 전의도 많이 상실했다. 이 젊은 놈과 대화를 나눌수록 자꾸 부처님 손바닥 안에서 노는 기분이 들었다.

"사실 당신이 자백 안 해도 오명석은 이미 죽은 패나 다름없어."

"……그건 무슨 말이지?"

"이 사람이 만진 예산은 죄다 구린내가 나거든. 자기 이름으로 따낸 사업 기획이 20건인데, 그중 15개가 수의계약이네?"

"……."

"당국이 이렇게 긴 꼬리를 잡았는데 조용히 넘어갈 것 같습니까."

오명석은 이미 업계에서 로비 공무원으로 악명이 자자한 인물이었다.

예산 잘 따와서 문화재청 내에서 신임이 두터웠고, 아무도 그의 수의계약의 문제점에 대해 지적하지 않았다.

매사 일처리가 확실해 업계 사람들에게선 문화재 대통령으로 통했다.

하지만 그 이면이 얼마나 추악한 놈인지는 자신이 누구보다 잘 알고 있다. 당국이 작정하고 놈을 털면 뼈도 못 추릴 것이다.

준철이 나열한 의심 공사 목록들은 다 사실이라 봐도 무방했다.

김 사장은 이제 결정해야 했다. 떨어진 끈을 계속 붙잡으며 함께 죽느냐……. 아님 자신이라도 사느냐.

"저기 그……."

"말씀하세요."

"그러니까 이건 정말 만약에 말인데……. 제가 당국 조사에 협조하면 저는 어떻게 되는 겁니까. 혹시 불기소나 기소유예 같은……."

"꿈 깨세요. 내가 구명보트 준다 했지 언제 크루즈 여객선에 태워 주겠다 했습니까?"

준철은 세차게 핀잔을 주었다.

"공사비 차액 다 토해 내시고, 나머지 공사는 새 업체에게 넘길 겁니다."

"아니……. 돈 토해 내고 업체도 바꾸겠다고? 그게 뭡니까! 그럼 나한테 남는 게 없잖아요."

"대신 실형은 면해 드리죠."

"뭐?"

"거기 인부들 다 불법 체류자죠. 한둘이 아니던데 몇 명이나 고용했습니까. 다른 업장에서도 불체자 고용했죠?"

"……."

"공사 현장에 안전 감독관 배치 안 시킨 건 안전법 위반입니다. 그 밖에 회삿돈 횡령하고 뒷돈 처바른 거. 이거 다 형량 모으면 얼마나 나오려나."

이제야 현실 파악이 된 건지 놈이 손을 달달 떨었다.

"죄, 죄송합니다. 제가 잠시 똥 된장 구분 못 했어요."

"과징금 5천에 집행유예 3년. 딱 여기까지가 제가 드릴 수 있는 마지막 배려입니다."

김 사장은 고개를 땅에 처박았다.

차액 공사비를 반납하고, 과징금을 5천이나 내면 결국 1억 5천을 내란 소리다.

벌점도 쌓일 테니 당분간 정부 입찰 공사에 응할 수도 없다.

회사가 내일 당장 폐업해도 될 만큼 악조건들이었지만 거절할 수도 없었다. 여기서 더 싸워 봤자 실형 3년만 추가될 뿐 아닌가.

"김 사장님, 잘 생각하고 판단하십쇼. 본인은 지금 우리랑 싸울 때가 아닙니다. 뒷돈 처먹은 오명석한테 얼른 민사 걸어야죠. 그 마이너스 혼자 다 감당할 겁니까?"

"……."

"제 제안은 여기까집니다. 제가 일어서기 전까지 본인 입장 말씀해 주세요."

한동안 아무런 대답이 나오지 않았다.

어려운 고민일 것이다. 최악을 선택하느냐, 더 큰 최악을 선택하느냐.

팔을 자를지 다리를 자를지 선택하는 것과 같다.

"후우……. 알겠습니다. 결국 그 선택을 하시는군요. 그럼 전 이만."

그렇게 엉덩이를 들 때, 그가 허겁지겁 달려와 준철의 바짓가랑이를 잡았다.

"네, 오명석이한테 떡값 돌렸습니다! 공사비 10%인 5천을 현찰로 돌렸고, 사모한테 천만 원짜리 가방도 돌렸습니다! 그 새끼가 딴 업체한테 어떤 접대 받고 다녔는지도 알아요.

과장님! 제가 아는 거 다 말해드릴 테니 과징금이라도 좀 깎아 주실 수 없습니까!"

정말로 애절한 고백이었다.

◎

"과장님, 큰일 났습니다. 지금 검찰과 공정위가……."

"뭐?"

"일단 얼른 나와 보셔야 할 것 같은데요."

오명석은 팀장의 다급한 보고에 급히 엉덩이를 들었다.

연일 계속되는 피로 누적에 정신이 비몽사몽 했지만, 오늘은 정신이 번쩍 드는 날이었다.

"공정위랑 검찰이 닥쳤다고?"

"예."

"도대체 왜? 우리 서류 협조 다 했잖아. 미비 자료 있었어?"

"연유는 잘 모르겠습니다. 아까 위에서 국장님과 면담을 나눴다는데……. 지금 과장님을 찾고 있습니다."

등 뒤에서 서늘한 식은땀이 타고 내려왔다.

소환 조사, 압수수색. 이다음 수순은 구속영장 아닌가. 국장님과 따로 면담까지 했다는 것이 예사롭지 않았다. 설마 이 많은 사람들 앞에서 체포를?

'아니야……. 쓸데없는 생각 말자.'

단순히 미비 자료가 있었던 거겠지.

오명석은 그리 자위하며 자료실로 향했다. 하지만 아무리 봐도 미비 자료 때문에 찾아온 모양새는 아니었다.

부서 전 직원들이 모두 집합당한 채 서류를 부지런히 나르고 있었기 때문이다.

최근 이 사건이 뉴스까지 타며 전 직원들도 녹초가 되어 있긴 마찬가지였다. 오명석이 등장했을 땐, 살벌한 눈빛이 그를 반겼다.

"내가 오명석입니다. 이게 대체 무슨 일이요?"

하지만 궁지에 몰릴수록 목소리는 커야 하는 법. 오명석은 되레 공정위 직원들에게 호통을 쳤다.

"아, 당사자 왔군요. 다들 됐습니다. 자료는 우리가 가져가죠."

"아니, 자료가 부족하면 공문 보내서 달라 하면 될 것이지 왜 여기저기 들쑤셔 놔요."

긴말할 거 없다. 준철은 오늘 막 검찰에서 발부된 따끈따끈한 영장을 들이밀었다.

"오명석 씨, 당신을 뇌물수수혐의로 체포합니다. 강원 지검 홍영민 검사 대독."

"뭐?"

"지금 검사님이 당신 기소 치느라 바빠서요. 담당 형사님은 다른 업체들 사장들 잡으러 가셨고."

"당최 무슨 소리야!"

"석초암 복원공사 때 4천 수수, 석가탄신일 축제 행사 때 5천 수수, 태영건설, 화산엠디, SA디미. 뭐 여기 업체들 다 이름 한 번씩 들어 보셨죠. 친분도 깊으시고."

잠시 할 말을 잃었다.

모두 자신이 수의계약으로 직접 지정한 업체들 이름이었다. 뇌물수수 액수도 10원 한 장 틀리지 않았다.

"이번 사천사 공사도 접대 한번 크게 받으셨더군요. 고급 룸사롱에서 접대 두 번, 현찰로 챙긴 떡값 5천, 추가로 사모님께 드린 명품백. 도합 6천. 유진건설 김 사장이 자백한 내용들입니다."

잠시 말문을 잃었던 그는 곧 정신을 되찾고 진부한 대답을 외쳤다.

"대체 그게 뭔 개소리야? 난 모르는 일이야!"

"이미 자백이 나왔다니까요."

"그 새끼가 공사비 삥땅 치고 급하니까 내 이름 둘러댔겠지!"

"이야……. 독하시네. 지금 동업자까지 파는 겁니까?"

그의 독기는 사실 여기서 끝이 아니었다.

"다 필요 없고 나 잡아가려면 여기 있는 사람 다 끌고 가야 할걸."

"네?"

"지금 내가 수의계약 줬다고 나한테 이러는 거잖아. 근데 그거 내가 혼자 내린 결정 아니었어. 우리 팀장들이 후보사 선정해서 넘겼고, 최종사는 과장들과 결정해서 내린 거야. 이래도 다 내 잘못이야? 내가 독단적으로 내린 결정이냐고."

이번엔 준철이 할 말을 잃었다.

잃을 게 없는 놈만큼 무서운 게 없다. 지금 이놈은 업계 동료, 후배들까지 팔아 가며 악다구니를 쓴다.

"우리도 알 건 다 압니다. 오명석 씨가 예산 잘 따와서 업체 정할 때 발언권이 가장 컸다는 거."

"누가 그래? 이거 다 회의에 부쳐서 결정했어. 아니, 다른 사람들도 얘기 좀 해 봐요. 여러분, 이거 나 혼자 결정했습니까?"

말도 안 되는 질문이었지만 아무도 나서지는 못했다.

형식상 회의로 결정되기도 했고, 무엇보다 지금 상황에서 오명석을 고발할 용기까진 없었다.

"이거 보쇼. 다들 말 못 하잖아. 이건 나 혼자 결정한 거 아니야. 그냥 관례대로 일 처리한 '우리'들의 실수라고."

"저기요……."

"이보세요, 조사관님. 내가 이쯤 했으면 그만합시다. 이번을 기회로 우리 문화재청 내에서도 수의계약에 대한 문제점이 많이 지적됐어요. 앞으론 불미스러운 오해 발생 안 하게

끔 조심하겠습니다. 네? 끝내자고요."

"그만해, 이 새끼야!"

그때였다.

별안간 묵직한 호통이 들리더니 송 국장이 등장했다.

"구, 국장님……."

송 국장은 성큼성큼 다가오더니 그 길로 오명석을 뺨을 내려쳤다.

"염치도 없는 새끼! 이젠 네 동료들까지 팔아먹어?"

"그, 그게 아니라……."

"내가 너한테 보내 준 신임이 아깝다. 예산 잘 따온다고 내가 너무 오냐오냐했지? 이거 다 네놈이 주도하고 다른 과장들은 요식행위로 회의에 참여한 거 모를 것 같아?"

따귀를 맞고 쓰러진 오명석은 입도 다물지 못했다.

송 국장은 이를 본체만체하며 준철에게 고개를 숙였다.

"결례가 많았습니다. 공정위와 검찰 조사에 성실히 임하겠습니다. 부디 개인의 일탈이 조직의 일탈로 번지지 않길 바라는 마음입니다."

"……예."

"필요한 자료 있으면 모두 말씀해 주십쇼."

송 국장이 자리를 벗어나자 약속이라도 한 듯 모든 사람들이 흩어졌다.

혼자 남게 된 오명석은 더욱 초라해 보였다.

1차 보도의 파급력이 상당했나 보다.

오명석의 구속 길은 부르지도 않은 기자들까지 참석하여 자리를 더욱 빛내 주었다. 좀체 사건 사고랄 게 없는 강원지검도 오늘만큼은 발 디딜 틈 없이 북새통을 이뤘다.

—한 말씀만 해 주십쇼. 공정위가 적발한 수의계약 비리가 모두 사실입니까?

"……."

—그럼 그간 이뤄진 문화재 복원 공사는 제대로 시행됐습니까?

—얼마나 많은 이권을 챙겼습니까?

하나같이 다 대답할 수 없는 질문이었기에 오명석의 고개는 땅에 처박혔다.

준철은 묵묵히 이 기자 벽을 뚫으려 했지만, 그들의 매서운 질문은 상대를 가리지 않았다.

—오명석 과장은 문화재청 내에서 예산 해결사로 통한 것으로 알고 있습니다. 혹시 이 과정에도 비리가 발견되었나요?

"아직 확인된 바 없습니다."

—그럼 의심해 볼 만한 내역이라도 있었나요?

"아직 없습니다."

—그럼 총 몇 건의 공사가 수의계약 비리였습니까?

—로비 액수는 얼마로 추정하십니까.

-공정위는 왜 지금껏 이런 문제를 방관했습니까?

-1억 이상의 국가공사는 무조건 공개입찰을 통하게 되어 있습니다. 이건 피감기관의 감독 부실 아닙니까?

기자들의 날선 질문은 곧 공정위에게 향했다.

'뭐 하세요. 얼른 나서지 않고.'

이럴 줄 알고 심 과장을 미리 대기시켜 놨지. 준철이 눈짓을 보내자 그가 침통한 얼굴로 기자들 앞에 섰다.

심 과장은 기자들의 질책성 질문에 성실히 대답하며 거듭 고개를 조아렸다. 사실 본인도 억울할 것이다. 내부 비리도 아니고, 타 기관 비리인데 감독을 못 했단 이유로 조리돌림 당해야 하니.

하지만 조사가 다 끝났을 땐 자신의 행운을 깨닫게 될 것이다. 만약 그때 준철의 지시를 거부하고 조사를 진행하지 않았다면 오명석과 구치소 동기가 되었을 테니.

"저희의 늦장 대응은 사실이지만, 그렇다고 문화재청의 편의를 봐줬던 건 아닙니다. 앞으로 1억 이상의 모든 정부 공사는 반드시 공개입찰을 통하도록 하겠습니다. 아울러 타 기관의 실태도 검토하여 적극 행정 지시를 내릴 방침……."

"어, 문화재청 관계자다!"

그때였다.

별안간 뒤에서 문화재청 차 한 대가 도착하더니 송 국장이 얼굴을 내비쳤다. 덕분에 심 과장은 진땀을 쓸어내리며 기꺼이 스포트라이트를 양보할 수 있었다.

침통한 얼굴로 기자들 앞에 선 송 국장은 허리를 숙이며 준비한 원고를 꺼내 들었다.

“먼저 국민 여러분들께 진심으로 사죄의 말씀드립니다. 민족의 얼과 유산을 지켜야 할 저희 문화재청이 불미스런 일로 국민들 앞에 서게 됐습니다.”

건물 안으로 도망치다시피 했던 오명석의 발걸음이 우뚝 멈췄다.

“해당 사건을 내부에서 확인한바, 불미스런 계약이 총 20건으로 모두 수의계약으로 진행되었음을 확인했습니다.”

“…….”

“선정 업체는 모두 팀 과장들의 회의를 통해 결정되었지만, 내부 사정에 의해 한 사람의 의견이 집중적으로 반영되었다는 것 또한 확인되었습니다.”

이는 한때 예산 해결사였던 오명석을 지칭하는 말이었다.

“하지만 모든 책임을 한 사람에게만 돌릴 순 없을 것입니다. 저희 문화재청은 근시일내 징계위원회를 열어 이권을 받진 않았지만 책임은 있는 모든 직원들에게 합당한 징계를 내릴 것입니다.”

“…….”

“아울러 이번 사태에서 수의계약은 이점보다 부작용이 더 크단 걸 깨달았습니다. 이에 내부 입찰 시스템을 정비, 앞으

로 규모를 막론하고 모든 공사는 공개입찰을 통해 정할 방침입니다. 물론 지역 건설사들의 담합 등에 대비해 보완책 또한 마련할 계획입니다."

"……."

"끝으로 이 사태의 모든 책임을 지며, 제가 자리에서 사퇴하겠습니다. 다시 한번 국민 여러분들께 사과의 말씀드립니다."

송 국장의 사퇴 소식에 떠들썩했던 강원지검이 잠시 조용해졌다.

보통 공무원들 징계위는 보여 주기 식인 경우가 많다. 하지만 국장이 직접 사퇴까지 발표했다는 건 고강도의 징계위원회가 될 것이란 암시였다.

이 소식에 가장 놀란 건 멀리 떨어진 채 서 있던 오명석이었다.

송 국장은 잠시 그와 마주치더니 고개를 휙- 돌려 버렸다.

한때 잘나갔던 예산 해결사가 이젠 국장 잡아먹은 비리 공무원이 됐다.

송 국장의 사퇴는 조직 내부에서도 오명석을 비호하지 않겠단 의지를 보여 주는 것이었다.

"갑시다."

준철이 살짝 어깨를 당겼지만 오명석은 이미 망부석처럼 자리에 굳어 있었다.

사실 취조가 의미 있나 싶다. 이미 공모자들의 자백이 나왔고, 조직에선 버림까지 받았는데. 오늘은 그냥 살살 달래서 자백이나 받아야겠다.

인간 대 인간으로서 놈이 안쓰럽기까지 했다.

하지만 한참 만에 걸음을 뗀 오명석 입에선 욕지거리가 튀어나왔다.

"내가…… 내가…… 얼마나 개처럼 일했는데. 저것들이 어떻게!"

역시나 사람 고쳐 쓰는 게 아니지. 잠시나마 놈을 동정했던 자신이 부끄러워졌다.

준철은 놈을 먼저 취조실로 보낸 후 서 팀장을 찾았다.

"서 팀장, 육개장, 설렁탕, 자장면 뭐 시킬 수 있는 거 다 시켜서 저 방에 보내 놔."

"예?"

"오늘 8시간 이상 취조할 거야. 너도 밥 든든히 먹어 놔라."

"감사합니다, 처사님."

사천사에는 오랜만에 웃음꽃이 폈다.

오명석과 업자들이 구속되며 복원 공사는 시공업체가 바로 바뀌었다.

언론사들의 살벌한 관심 속에 선정된 새 업체는 안전펜스도 설치했고, 불체자도 쓰지 않았다.

덕분에 더 이상 사천사엔 분진 가루가 휘날리지 않았다.

"많이 좋아졌나요?"

"좋다마다요. 새 업체는 예불 시간도 존중해 주고, 안전장비도 다 갖춰 공사하더군요. 덕분에 제자들도 아주 좋아합니다."

오랜만에 주지스님 얼굴에도 꽃이 피었다.

이제 복원 공사장엔 감독관이 상시 대기하고 있으며, 크고 작은 민원은 대개 하루면 해결이 되었다.

이 당연한 권리를 찾는데 왜 그리 긴 여정을 지나야 했는지.

"근데 주지스님 왜 그러셨습니까?"

"뭐가요?"

"탄원서요. 오명석이 같은 놈은 천벌을 받아도 시원찮을 놈이에요. 왜 그런 걸 써 주셨어요."

서 팀장의 물음에 주지스님이 껄껄 웃었다.

"세상에 허물없는 이가 어디 있겠습니까. 따지고 보면 우리 모두 다 속죄하고 살아야 할 미물들이죠."

"하지만……."

"예수는 사랑을 가르쳤고, 부처는 자비를 가르쳤습니다. 이 생엔 악연으로 만났지만 저 생엔 귀한 인연으로 만나길 바람입니다."

평범한 사람으로선 이해하기 힘든 숭고한 정신이다. 원수를 사랑하라, 세상에 이것만큼 힘든 게 있을까.

하지만 주지스님의 바람과는 별개로 오명석은 이미 부당이익금 환수 조치에, 실형까지 예약되어 있었다.

부처님은 용서하셨을지 몰라도 사법부는 용서하면 안 되지.

"시공 업체 확인 차 들렀는데, 잘 지내고 계시다니 다행이네요."

"더할 나위가 없죠. 하하."

"다행입니다. 그럼 저흰 이만 내려가 보겠습니다."

용무를 마치고 돌아설 때였다.

"잠시만요, 처사님. 혹시 사주를 좀 알 수 있습니까?"

주지스님의 말에 서 팀장이 고개를 갸웃거렸다.

"사주요?"

"예. 본래 불자들이 바깥에서 시주를 받거나, 예불을 받을 때 작게나마 축원을 드립니다. 소싯적 저도 관상 좀 보고 다닌 몸인데, 아마 어중이떠중이 도사들보다 신통할 겁니다."

"아, 그럼 제 미래를 알 수 있는 건가요?"

"미래는 모르지만 전생에 어떤 업보를 쌓았는지는 알죠. 그 덕을 이 생에서 보게 될 겁니다."

서 팀장은 신난 얼굴로 자신의 사주를 말해 주었다.

주지스님은 한동안 서 팀장 얼굴을 뚫어져라 보더니 너털웃음을 지었다.

"우리 서 팀장님께선 과거에 아주 큰 덕을 쌓으셨군요."

"덕이요? 제가요?"

"귓볼이 넓고, 미간이 좁은 것이 복을 부를 팔자입니다. 한데 재물을 탐하면 집안이 풍비박산 날 팔자고, 명예를 따르면 대통할 팔자시군요."

솔직히 좀 싱거웠다.

당연히 공무원이 재물을 탐하면 풍비박산 나는 것 아닌가. 이건 사주를 빙자한 그냥 덕담 세례다.

"현생에 귀한 인연을 만나 관운이 대통하실 것 같습니다."

"귀한 인연요? 그럼 혹시 제가 고위직 처자랑 결혼할 팔자인가요?"

"허허. 인연이 어떻게 꼭 남녀에만 한정되겠습니까. 옷깃 스쳐 가는 모든 인연에 마음을 다하십시오."

서 팀장도 이상함을 느꼈는지 그냥 웃어넘겼다. 원래 뻔한 칭찬도 막상 들으면 기분이 좋은 법이다.

"저는 태어난 시간은 모르겠고, 생년월일만 압니다."

하지만 그 인자했던 주지스님의 얼굴이 준철 앞에선 한없이 굳어졌다.

"이상하다……."

"예?"

"참으로 묘한 사주라서요. 이게 진짜 처사님 출생연일이 맞습니까?"

"네……. 주민등록증 보여 드릴까요?"

주지스님은 그렇게 한참 준철을 뜯어 보더니, 무언가 깨달았다는 듯 이마를 쳤다.

"아이구야– 아미타불."

그는 긴 한숨을 내쉬며 말했다.

"팔자가 꼬인 상이었습니다. 이런 경우는 저도 처음 보는데."

"……예?"

"과거에 지은 악업이 많아 이생은 속죄하며 살 팔자시군요. 가혹했습니다, 그리고 잔인했습니다. 처사님의 악업으로 터진 원성이 태산을 찌르고, 흘러간 눈물이 강물을 뒤덮었습니다."

이러한 답변에 가장 놀란 건 서 팀장이었다.

그냥 대충 얼굴 보고 축원해 주는 거 아니었나? 도와준 은인한테 이렇게까지 말해도 되는 건가.

"하나 그 업보를 이생에 묵묵히 잘 지워 가고 있습니다. 앞으로 더 많은 깨달음을 얻으실 테고, 그 깨달음 끝엔 굴레의 해방이 기다리고 있을 겁니다."

주지스님은 한바탕 악담을 쏟아 놓곤 머쓱해졌다.

"죄송합니다. 좋은 말을 많이 드리고 싶었는데, 보이는 걸

모르는 척할 수 없으니.”

“괜찮습니다. 뭐 그래도 끝에는 좋네요. 하하.”

“기왕 얘기 나온 거 첨언하자면 곧 그 끝에 다다를 팔자시군요.”

“……예?”

“차차 아시게 될 겁니다.”

쩔쩔매는 서 팀장을 뒤로하고 준철은 가볍게 목례를 건넸다.

“감사합니다. 늘 마음에 새기고 바른 대로 살겠습니다.”

◎

사천사에서 내려오는 길.

민망해진 서 팀장이 괜히 말을 꺼냈다.

“아이참, 주지스님도 너무하시지. 그냥 대충 덕담 몇 마디 해 주시면 되는 거 가지고…….”

제3자인 자신이 들어도 너무나 충격적인 얘기였다.

아무 칭찬이나 막 던지는 줄 알았는데, 전혀 아니다.

“아무래도 스님이 좀 고집이 있으신 모양이에요. 옛날 분이기도 하고. 과장님, 신경 쓰지 마세요. 제 사주팔자 들어보면 사실상 하나 마나 한 소립니다.”

“글쎄, 난 꽤 신통방통한 것 같은데.”

"예?"

"좋겠다, 서 팀장. 넌 귀한 인연을 만나서 운수가 대통한다잖아. 재벌집 아가씨한테 시집가는 거 아니냐."

"에이– 재물 탐하지 말랬잖아요. 솔직히 결혼이고 자시고 여자 만날 시간도 없습니다."

준철이 껄껄 웃었다.

"그나저나 과장님, 우리 이제 국장님 얼굴 어떻게 봅니까?"

"왜?"

"배 팀장한테 전해 들었는데……. 우리 사건 이미 국장님 귀에 들어갔대요. 얌전히 있으라 했는데 왜 설치고 다녔느냐고……."

"젠장. 강원 공정위가 슬쩍 꼰질렀구먼. 됐다. 좋게 해결됐으니 별말씀 없으실 거야."

준철은 개의치 않으며 산에서 내려왔다.

사실 국장님이 어떤지 보다 더 마음에 걸리는 게 있었다.

–과거의 악업을 청산할 때가 되었다…….

주지스님의 관상이 더욱 걸린다.

대강 얘기를 들어 보니 아무 소리나 막 내뱉은 것 같진 않다.

그렇게 여기기엔 그게 더 소름 돋았다.

혹시 김성균으로 살았을 때를 얘기한 건가. 이제 곧 그 업보를 청산한단 얘기일까.

'후우.'

모르겠다. 스님 말씀대로 차차 알게 되겠지.

질 끝판왕 사망

한명그룹
김성균 본부

위험한 데이트 어플

유 국장 앞에 선 준철은 고양이 앞의 생쥐꼴이었다.

입 다물고 있어도 모자랄 판국에 유배지에서 또 사고를 치지 않았나. 강원 공정위는 사건의 전말을 친절히 공문에 부쳤고, 덕분에 유 국장은 모든 내막을 알게 되었다.

"너 거기 가서도 기업들 상대하듯이 협박했냐?"

"예?"

"으름장 놨다면서. 수의계약 건 조사 안 하면 공범으로 간주하겠다고."

"국장님, 그건 좀 사연이 있었습니다. 이게 얘기하자면 좀 긴데……."

"됐다, 비하인드 스토리가 궁금해서 묻는 게 아니니까. 네

덕에 무슨 공문이 50장이나 왔어. 처음엔 국감 보고선 줄 알았다."

어지간히 공범으로 몰리기 싫었나 보다. 강원 공정위 보고서엔 사건의 전말과 개선안까지 담겨 있었다.

앞으로 모든 정부 공사는 공개 입찰로 진행할 것이란 내용이었는데, 그 내용이 흡사 반성문처럼 쓰여 있었다.

원래 국감이나 청문회에서 한번 공론화되면 관련법이 갑자기 보완되고 시스템 개혁이 이뤄지는데, 지금이 딱 그 꼴이었다.

"그렇다고 네놈 칭찬해 주는 거 아니다. 감사원 조사 피신하려고 간 놈이 무슨 깡으로 참."

"……."

"조사가 잘 끝났기에 망정이지, 안 풀렸으면 너 쪽박에 피박이야."

유 국장으로선 참 이해하긴 힘든 의욕이었다. 공무원은 밑져야 본전인 조사를 하는 사람들이지, 잘돼야 본전인 조사를 하는 사람들이 아니다.

타박하듯 꾸짖었지만 마음속 본연에서 일어나는 기특함은 숨길 수 없었다.

유 국장의 말투가 살짝 누그러지자 준철이 조심히 물었다.

"감사원 조사는……."

"이미 다 전해 받았으면서 뭘 또 물어? 네가 지금까지 말은 조사 싹 다 압수당했고, 절차적 문제가 없었는지 모조리 다 검토당했다. 근데 네가 이겼어. 그놈들이 백기 들더라."

"감사합니다, 국장님!"

"내가 뭘?"

"진짜 작정하고 털었으면 저도 남아나지 않았겠죠. 국장님이 적당히 위압감을 주셨으니 조사가 거기서 그쳤을 겁니다."

공무 집행에서 절차적 하자를 찾는 건 일도 아니다.

검사가 취조하다가 책상다리를 발로 툭 쳤는데, 그걸 폭력과 위압 취조로 엮은 판례도 있다.

-감사원이면 다요? 이건 절차적 하자를 찾는 게 아니라, 만드는 거잖아. 그럼 감사원의 이 조사는 절차적 하자가 없다 단언할 수 있소?

유 국장은 절차적 하자를 찾는 놈들에게 도리어 절차적 문제를 제기하며 조사를 조기 종결시켜 버렸다. 그가 감사원 국장과 드잡이한 사실은 이미 공정위 내에서 파다하게 퍼질 정도였다.

"알면 좀 조심하자. 네가 성진유업 편법을 처벌한 사실은 내 입으로 변호하기에도 창피하더라. 너무 머리 쓰지 마. 그냥 법으로 처벌 못 하는 건 아니꼬워도 못 하는 거야."

"앞으론 무조건 조심하겠습니다. 심려 끼쳐 드려 죄송합니다."

잔소리를 실컷 퍼부어 주려 했지만 풀 죽은 모습이 또 사람 마음이 약해지게 한다.

그래, 사건만 보면 앞뒤 안 재고 달려드는 모습이 이놈을 기특하게 여기는 이유지. 오지랖이 너무 넓다는 게 문제지만, 요즘 젊은 놈들에게선 찾아볼 수 없는 패기다.

"진짜로 죄송하면 당분간 숨만 쉬면서 자리 지켜. 절대로 너 혼자 사건 맡지 마. 타 부처에서 협조 요청이 와도 안 돼. 팀장들이 올린 결재 서류에 사인만 갈기는, 과장 본연의 업무로 돌아가라고."

"네. 당분간은 정말 조심하겠습니다."

90도로 인사를 하고 나온 준철은 안도의 한숨을 몰아쉬었다.

더 이상 국장님의 인내심의 한계를 시험해선 안 된다. 당분간은 정말 숨만, 아니 숨도 쉬지 말자.

◎

국장님의 지시대로 준철은 한동안 결재 로봇이 되었다.

말은 참 간단하지만 휘하엔 6명의 팀장들이 있었으니 사실은 6개의 사건을 맡는 것이나 다름없었다. 다행히도 모두 시정 명령이나 개선 지시 선에서 끝낼 수 있었기에 크게 골치 아프진 않았다.

시간이 남을 땐 각 팀을 돌며 점심도 함께했고 업무 고충도 들어 주었다.

그간 업무에 매진하느라 체력이 바닥난 건지, 이 지루한 일정이 눈물겹도록 고마운 여유로 다가왔다.

"당분간 기소, 영장 같은 굵직한 절차 아니면 저한테 굳이 결재 올리실 필요 없습니다. 조치하시고 저한테 보고만 해 주세요."

"네."

"그나저나 요즘 배 팀장이 안 보이네? 연락도 안 되고."

그렇게 마지막 과장 주재 회의가 끝났을 때였다.

복귀하고 나서 한 번도 볼 수 없었던, 배 팀장의 공석을 바라보며 준철이 물었다.

"아, 배 팀장은 오늘 경찰청에 좀 가야 한다고 합니다."

"경찰청? 서울지검이 아니라?"

사실 공정위 직원이 경찰청을 들락거리는 건 흔한 광경이 아니다.

이 바닥에 무슨 현행범이 있겠나, 체포할 일이 있겠나. 설사 그런 절차가 필요하더라도 검찰에 기소하면 그들이 다 알아서 해 준다.

"아, 그게 이번에 맡은 사건이 좀 지저분하게 엮여서 반드시 참관해야 한다고…….”

“뭐가 그렇게 지저분하게 엮여?”

“공개적으로 말씀드리기 좀 그런데…….”

서 팀장은 살짝 눈치를 보더니 준철에게 귓속말을 전했다.

준철은 사건을 한 번에 이해할 수 없었던지 다시 귀를 가져다 댔다.

하지만 두 번째 설명을 들어도 좀체 감을 잡을 수 없었다.

“오늘 회의는 여기서 마치죠. 서 팀장은 잠깐 남자.”

“네.”

팀장들을 해산시킨 준철이 눈살을 찌푸리며 물었다.

“그게 대체 뭔 말이야? 데이트 어플 하나를 적발했는데 이게 성매매 알선 혐의까지 받는다고?”

“네. 이게 간단히 설명하면…….”

“아니, 간단히 설명하지 말고 자세히 설명해 봐.”

서 팀장은 심호흡 한 번 하고 말을 이었다.

“영앤리치라는 소개팅 어플이 있어요. 이게 남녀 가입자를 매칭시켜 주는 어플이거든요. 근데 남자가 여자에게 말을 걸 땐, 여기서 파는 회원권을 사거나 아이템을 구매해야 됩니다. 한마디로 이 아이템이 주선비 같은 개념이죠.”

여자 만나는 법이라곤 미팅, 맞선밖에 모르는 준철에겐 신세계였다.

“그래서?

"근데 이 어플이 남자 회원에게만 가입비랑 아이템을 요구하거든요. 어플 측이 이를 위해 유령 여자 회원을 고용했다는 의혹입니다."

그제야 대략적인 사건이 이해가 갔다.

한마디로 인터넷 나이트클럽 같은 곳이다.

남자는 비싼 술을 시켜야 룸을 주고, 여자는 공짜 맥주까지 뿌려 가며 모시는.

"거기까진 이해가 가는데 조건 만남 얘기는 뭐야?"

"근데 여기에 고용된 여자가 더 큰돈을 벌려고 남자를 만났다 합니다. 그 과정에서 둘이 쌈이 붙었는데 남자 측이 여자가 알바생이라는 걸 알게 된 거죠. 이런 의혹이 예전부터 있어서 지금 남자 회원들 사이에서 사기 어플 신고가 이어지고 있답니다."

한숨이 나왔다.

진짜 더럽게도 엮였구먼.

"어디로 갔어?"

"오전엔 강남이었다는데, 지금은 종로에 있다 합니다."

"뭐?

"피해자가 한둘이 아니라서요. 사실 지금 허위 과장 광고부터 회원 사기까지 걸린 게 너무 많아 어떤 죄목으로 처벌해야 할지 엄두가 안 날 정도랍니다."

준철은 미간을 문질렀다.

듣기만 해도 머리가 아픈데 당사자는 오죽할까.

일단 알바 회원, 즉 회원 사기를 쳤으면 전자상거래법 위반이고, 이것이 조건 만남으로까지 이어졌다면 성매매 알선도 고려해 볼 수 있다.

하지만 직접 보고를 듣기 전까진 의견을 내지 않는 게 좋아 보였다.

"배 팀장 지금 종로에 있다고?"

"네. 3가 경찰청이랍니다."

준철은 겉옷을 챙겼다.

"문자 하나 남겨 놔. 내가 직접 봐야겠다."

종로 3가 경찰청.

사이버 범죄팀 강 형사는 황당한 얼굴로 두 남녀에게 물었다.

"그러니까 두 분이서 조건 만남을 하려고 만났는데 서로 사기를 당하셨다고요?"

"네!"

"아, 네!"

황당한 광경이 아닐 수 없었다.

일단 사이버팀의 주 고객(?)은 한순간의 분노를 참지 못한

악플러들로, 대개 경찰서만 오면 온순해지는 사람들이었다.

"데이트 한 번 해 주면 100만 원을 주기로 했어요! 근데 데이트 다 끝나니까 자꾸 절 호텔로 끌고 가려 하잖아요."

"야, 어떤 미친놈이 데이트 한 번에 100만 원을 줘? 너도 알 거 다 알고 나온 거 아니야?"

차라리 악플러가 낫구나.

그들은 서로를 피해자라 주장하지도 않았고, 경찰청이 떠나가라 부끄러운 얘기를 떠들지도 않았다. 최소한의 염치는 있었던 존재들이다.

"알긴 뭘 알아? 내가 미쳤다고 50대 배불뚝이랑 호텔을 가? 이 사람 먹튀예요. 사기로 쳐 넣어 주세요."

"먹튀는 개뿔! 너야말로 내 뒤통수 쳤잖아. 너 영앤리치 알바라며."

"그래서 어쩌라고? 내가 당신한테 돈 받았어?"

"그럼 난 어쩌라고. 내가 너랑 뭐 했냐?"

"어머, 형사님. 이거 지금 들으셨죠? 이 사람 성매수남이에요. 선처 안 할 거니까 무조건 처벌해 주세요."

쾅!

"저기요, 두 분. 억울한 건 알겠는데 그게 뭐 자랑이라고 시끄럽게 떠들어 대십니까?"

"아니, 제가 피해자……."

"데이트 대가로 100만 원 받기로 한 김성희 씨도 잘못 없지 않아요."

"그렇죠, 형사님!"

"조건 만남을 제시한 김팔봉 씨도 잘한 거 전혀 없습니다."

그제야 정신이 좀 든 건지 두 남녀가 서로를 외면했다.

강 형사는 이 지저분한 사건에서 빨리 도망치고 싶었지만 상황이 그럴 수 없었다.

"두 분, 만나신 곳이 어디라고요?"

"……어플요."

"무슨 어플요?"

"영앤리치라는 어플입니다."

해당 사건의 시발점이 바로 모바일 어플리케이션이었기 때문.

이 어플은 규모도 크며 최근 무섭도록 성장세에 있었다.

만약 이 두 남녀의 말이 사실이라면 이건 소개팅 어플로 둔갑한 성매매 알선 사이트를 검거한 것이나 다름없다.

"제가 어지간하면 이런 말 잘 안 하는데, 두 분은 그냥 합의하시는 게 좋겠습니다. 어차피 서로 받은 피해도 명확하지 않아 처벌도 못 해요."

이 말에 여자가 벌떡 일어났다.

"내가 미쳤지. 이런 배불뚝이한테 속아서. 흥!"

"뭐? 배불뚝이? 야, 너 다시 말해 봐."

여자는 아랑곳 않고 자리를 떠났다. 하지만 남자는 여전히

자리를 지키고 있었다.

"김팔봉 씨는 진짜 계속할 겁니까?"

"내가 억울해서 못 가겠습니다."

"본인도 잘한 거 없다니까요. 여자분 처벌 못 해요."

"저 여자야 그렇다 쳐도 이 어플은 용서 못 하겠다고요. 이거 회원권을 한 달에 30만 원씩이나 받으면서 이렇게 고객 뒤통수를 쳐?"

"……."

"형사님, 만남 어플에 알바 고용하는 건 명백한 사기 아닙니까? 이런 기업은 무조건 처벌해야 합니다."

강 형사는 슬며시 뒤에 있던 배 팀장에게 눈짓을 보냈다.

'어떻게 할까요?'

배 팀장은 이미 지친 기색이었다.

이 사건의 첫 시작은 허위 과장 광고였다. 영앤리치는 전문직 가입률 1위 등의 검증되지 않은 사실들로 고객을 유인했는데, 알고 보니 이보다 더한 똥물이 숨어 있었다.

방금 두 남녀의 말이 사실이면 전자상거래법 위반은 물론 성매매 알선 혐의까지 적용시킬 수 있다. 남성 회원 유치를 위해 알바 회원을 썼다는 것 자체가 고객 기만행위다.

배 팀장이 고개를 끄덕이자 강 형사가 말을 이었다.

"진 형사, 민원인 안내해서 조서 쓰게 도와드려."

"알겠습니다."

"대답부터 들어 봅시다. 형사님, 나 이 업체한테 쓴 돈이 수백이에요. 이거 피해 보상 받을 수 있는 거죠?"

"일단 조서부터 써 주세요."

"뭐 이렇게 복잡한 게 많대요? 저 여자가 한 말 들었잖아요! 저거 다 알바라니까. 우리가 영앤리치한테 사기를 당했다고!"

염치도 없이 또다시 큰소리를 낸다.

강 형사도 더는 참아 줄 수 없었던지 되바리지게 소리를 높였다.

"그래서 그 알바생한테 호텔 가자고 한 건 잘한 짓입니까?"

"그건……."

"미수에 그쳤다고 성매매 시도가 없어지는 게 아닙니다. 이번엔 미수였지만 일전엔 이뤄졌을지도 모르죠. 저희가 진짜 이거 다 파 볼까요?"

김팔봉은 바로 입을 다물고 진 형사를 졸졸 따라갔다.

소란이 잦아들자 강 형사가 배 팀장에게 커피를 건넸다.

"머리 아프죠?"

"……아픈 정도가 아니라 쪼개질 지경입니다. 원래 이런 사건이 많나요?"

"최근 데이트 어플이 급부상하면서 관련 사건이 많다네요……. 근데 저도 처음 맡아 봅니다."

배 팀장은 이미 넋이 나가 있었다. 오전에 출근 도장을 찍은 강남에서도 방금과 같은 대화가 오갔다.

"강남청도 들르셨다고요. 거긴 어땠습니까?"

"레퍼토리는 다 똑같습니다. 남성 회원이 여성 회원한테 조건 만남을 제시하고…… 그 과정에서 여자가 알바생이란 게 밝혀지고."

"그럼 혐의 적용이 어떻게 되는 겁니까? 어플 측에 성매매 알선 혐의를 적용하는 건 무리인 듯싶은데."

사실 뭘 어떻게 적용해야 할지 모르겠다.

다만 영앤리치 어플이 성매매의 온상이 되어 있다는 건 부정할 수 없을 것 같다. 더 큰 문제는 최근 난립하고 있는 수많은 소개팅 업체도 비슷한 실정일 것 같다는 것.

"일단 저도 위에 보고를…… 어?"

그리 대답할 때, 멀리서 익숙한 얼굴이 배 팀장을 향해 걸어왔다.

"과장님?"

"기특하다. 요즘 배 팀장 얼굴 구경하기가 힘드네."

"여긴 어떻게 아시고……."

"서 팀장한테 다 전해 들었다. 요상한 사건 때문에 골치 썩고 있다고?"

행색을 보니 굳이 부연 설명을 들을 필요가 없을 것 같다.

헝클어진 머리에 꾀죄죄한 얼굴은 벌써 며칠째 밤샘 작업이 이어지고 있다는 걸 말해 주었다.

준철은 강 형사에게 간단히 인사하고 배 팀장에게 말했다.

"밥은 먹고 다니냐?"

직장인 1번지란 명성답게 종로엔 국밥집이 참 많았다.

배 팀장은 양념장을 큰 숟가락으로 푸더니 게걸스럽게 밥을 먹어 대기 시작했다. 정신없이 뚝배기를 비우는 모습이 아침밥도 걸렀다는 것을 말해 주었다.

슬쩍 공깃밥을 양보하자 배 팀장이 뒷머리를 긁적였다.

"죄송합니다. 제가 너무 게걸스럽게 먹었죠."

"복스럽고 좋은데 뭐. 어지간하면 밥때는 거르지 마. 사람은 결국 다 밥심으로 일한다."

"넵."

그렇게 뚝배기를 두 그릇이나 비웠을 무렵 준철이 슬며시 일 얘기를 꺼냈다.

"내가 대충 설명은 들었는데 갈피를 못 잡고 있거든? 지금 상황이 어떻게 돌아가고 있냐?"

"그게, 그러니까……."

배 팀장은 해당 사건을 맡게 된 경위부터 방금 있었던 막장 취조까지 자세히 설명했다.

설명이 다 끝났을 땐, 준철도 고심에 잠겨 있었다.

배 팀장이 왜 밥때도 거르며 업무에 매진했는지 알 것 같다.

“일단 하나씩 짚고 넘어가자. 허위 광고는 잡았어?”

“예. 영앤리치 어플이 전문직 가입률 1위, 20대 여성 가입률 1위 등 다수의 근거 없는 광고를 했다는 게 확인되었습니다. 이건 그쪽에 해명을 요구했는데 대답도 못 합니다.”

“좋아. 그럼 과징금 5천은 확보했고. 알바는?”

“그건 여자 쪽에서 대놓고 시인하더군요.”

“진술 확보만으론 부족해. 증거는?”

“그건 없습니다. 그걸 알려면 영앤리치 기업 자료를 까 봐야 합니다.”

여기가 딱 조사가 막히는 지점이었다.

정말 회원 알바를 고용했다면 회계장부에 이상한 내역들이 잡힐 것이다. 만약 이 모두 사실이라면? 명백한 고객 기만으로 전자상거래법 위반이다.

형사처벌은 물론 개인 회원들에게 따로 민사까지 당할 수 있다.

“근데…… 이건 업계에서 늘 떠도는 이야기라서요.”

“늘 떠돌아?”

“네. 소개팅 어플이 알바를 고용한다는 얘기는 아주 예전부터 있어 왔던 애깁니다. 사실 유언비어를 믿고 조사에 들어갔다가 괜히 망신만 당하는 건 아닌지……. 좀 조심스럽습니다.”

어느 업계나 음모론은 있다.

소개팅 어플에 유령 회원 의혹은 늘 있어 왔던 문제다. 한데 만약 이게 사실이 아니라면? 공정위는 인터넷 유언비어에 놀아난 셈이다.

“더 솔직히 말하면 크게 자신은 없습니다. 그 어플이 유령 회원을 고용했다면 교묘하게 숨겨 놨겠죠. 회계장부에 절대 솔직하게 적었을 리 없습니다.”

“그럼 이대로 끝? 허위 광고로 과징금 5천에 끝낼까?”

“근데 또 이대로 두기에는…….”

갈팡질팡하는 녀석에게 좀 더 직접적으로 물었다.

“배 팀장, 그냥 확실하게 말해 봐. 네가 어디까지 조사하고 싶은지 알아야 내가 거기에 맞춰 지원해 주지.”

배 팀장은 잠시 고민하더니 이내 입을 열었다.

“장부…… 까 보고 싶습니다! 같은 진술이 계속 반복되는 걸 보면 알바 회원 의혹이 마냥 거짓은 아닐 것 같습니다. 그리고…….”

“그리고?”

“최근 소개팅 어플이 난립하면서 유사 피해 사례가 급증하고 있습니다. 업계 경종을 울리기 위해서라도 꼭 필요한 조사라 생각합니다.”

"그냥 솔직하게 말해. 구린내 나니까 조사는 하고 싶지? 근데 증거 잡을 자신은 없고? 조사에 실패하면 대충 업계에 경고 한 번 날린 셈 치자, 이렇게 출구 전략 짜자는 거 아니야."

배 팀장은 굳이 부정하지 않았다.

"예. 그렇습니다. 큰 자신은 없지만 꼭 해 보고 싶습니다."

기특한 놈이다.

공무원들은 보통 이렇게 사건이 복잡해지면 타 기관에 넘기거나 아예 손 떼 버린다. 본조사 과정에서 탈세가 발견되면 바로 국세청에 떠넘겨 버리고, 반대로 담합이 발견되면 떠넘김을 받는다.

무사안일을 최고로 여기는 공무원의 습성인 것이다.

하지만 이놈은 꽤 근성 있는 모습으로 사건에 매진했고, 실패 시 출구 전략까지 짜 놨다. 아무래도 해당 사건에 대해 진지하게 오래 고민해 본 것 같다.

"좋아, 그럼 이렇게 하자."

준철은 녀석을 전폭적으로 지지해 주기로 했다.

"일단 허위 광고로 영앤리치 쳐. 회계장부를 압수해서 진짜 전문직, 20대 여성 가입률이 1위인지 알아봐. 물론 우리 진짜 목표는 회원 프로필이 아니라, 그 회사의 자금 흐름이다."

"과장님, 저도 그 방법은 생각해 봤는데…… 그놈들이 순순히 응할까요? 저희 의도를 분명 빤히 알 텐데요."

"알면 뭐 달라져?"

"허위 광고라고 인정하고 광고를 다 내려 버릴 겁니다. 과징금 몇억이 떨어져도 저희한테 장부 협조는 절대 안 할 겁니다."

당연한 얘기다.

허위 광고 과징금이 고작해야 얼마나 한다고.

"그러니까 이렇게 하란 말이야."

준철은 괜히 주변을 살피며 배 팀장에게 귓속말을 했다.

얘기가 끝났을 땐, 배 팀장의 눈이 휘둥그레져 있었다.

"과장님, 진심이세요? 정말 그래도 됩니까?"

◎

영앤리치 이민섭 공동대표는 전전긍긍하는 얼굴로 비서를 찾았다.

최근 남성 회원들 사이에서 제기되고 있는 유령 회원 의혹이 심상치 않았다. 인터넷 카페에선 벌써 피해 사례가 공유되고 있으며, 최근엔 경찰에 신고까지 되었다고 한다.

그가 전전긍긍한 이유는 이 모든 것이 사실이었기 때문이다.

3년 전 서비스를 시작한 영앤리치는 남탕 어플이라는 말이 나돌 만큼 성비 불균형에 시달렸다.

어플에 남성 회원들만 넘쳐 나니 소수의 여성 회원들의 콧

대는 나날이 높아졌고, 이는 기존 남성 회원들의 불만으로 이어졌다.

불만의 실체는 곧 데이터로 드러났다.

가까스로 유지하고 있던 기존 유료 고객들이 대거 이탈하기 시작했으며, 동시에 유사 소개팅 어플들이 난립하기 시작한 것이었다.

동종 어플 다운로드 순위가 순식간에 10위권 바깥으로 추락했다.

-매칭 어플은 무조건 여자 중심이어야 돼! 여성 회원들은 학벌 검증, 아니 사진 검증도 하지 마. 필요하면 알바 제의라도 하라고.

막다른 길에 몰린 끝에 그는 이 업계의 가장 중요한 사실을 깨달았다.

뭣 하러 힘들게 양봉장을 만드나. 꽃밭을 잘 가꾸어 놓으면 벌들이 꼬일 수밖에 없는데.

그는 그제야 왜 나이트클럽에서 여자들에게 맥주를 공짜로 주는지, 왜 헌팅 포차에서 여성 테이블에만 계란말이를 서비스로 주는지 깨달을 수 있었다.

젊은 나이의 대표는 이 깨달음을 곧 실행에 옮겼다.

남성 회원들은 여성 회원에게 아이템을 선물할 수 있고,

이 아이템은 백화점 상품권이나 문화 상품권으로 바꿀 수 있게 했다.

이와 함께 남성들의 가입 조건을 올리고, 알바 회원까지 동원해 성비 균형을 맞추는 데 최선을 다했다.

덕분에 영앤리치는 다시 소개팅 어플 1위를 달성할 수 있었으며, 가입자만 50만이 넘는 국내 최고의 매칭 어플로 자리매김할 수 있었다.

"어떻게 됐지?"

"막기는 어려울 것 같습니다."

"뭐?"

"남성 회원 3명이 벌써 경찰서까지 갔다는군요. 신고 절차를 밟았고, 피해 커뮤니티에서 인증까지 나돌고 있다 합니다."

하지만 이제는 그 죗값을 치러야 할 때.

비서에게 자세한 내막을 듣자 다리의 힘이 다 풀렸다.

"아니…… 그건 우리 책임이 아니잖아. 성인 남녀가 돈거래 한 것까지 우리가 어떻게 막아?"

"그 과정에서 저희가 알바 회원을 고용했다는 사실이 밝혀져서……."

"이런 미친놈들! 죽으려면 혼자 죽을 것이지 우릴 팔아먹어?"

쩔쩔매는 비서 앞에서 한참이나 욕지거리를 내뱉었다.

하지만 기분만 좀 나아질 뿐 아무런 진전이 없었다. 이내 이성을 찾은 그가 물었다.

"그래서?"

"공정위에서 조사를 할 모양입니다."

"김 변호사는 뭐래?"

"전말이 다 드러날 경우 전자상거래법 위반 혐의를 피할 수 없다고요. 고객 기만행위라 공정위 처벌 또한 무거울 거란 전망입니다."

비서는 공정위가 오늘 아침에 보내 온 공문을 그에게 전했다.

그걸 다 읽은 그는 곧바로 눈을 돌렸다.

"진영이, 아니 홍 대표 지금 어디 있지?"

정신 차리자.

호랑이 굴에 물려 가도 정신만 바짝 차리면 호랑이 가죽을 가지고 나온다 했다.

천만다행히도 공정위 공문은 허위 과장 광고에 대한 지적이었고, 이 과징금은 기꺼이 지불할 준비가 되어 있었다.

다시금 생각해 보니 상황이 꼭 나쁜 것만은 아니었다. 아닌 말로 알바회원 의혹은 이쪽 업계에서 늘 끊이지 않았던 추문 아닌가. 소개팅 어플치고 이런 의혹 안 받는 곳이 없으며 공정위가 여기에 놀아날 바보는 아니란 판단이 들었다.

그렇게 냉수로 속을 달랠 때 홍진영 공동대표가 문을 열었다.

"무슨 일인데 급하게 날 찾아?"

이민섭은 대답 대신 공문을 내밀었다.

"그때 말한 그 일 말이야. 좀 안 좋게 됐어."

내용을 확인한 홍 대표의 얼굴이 일그러졌다.

"아니, 이게 뭐야? 네가 알아서 막겠다며!"

"소리 높이지 마. 그렇게 심각한 거 아니니까."

"내가 바보야? 아무리 내가 경영을 몰라도 이게 심각한지 아닌지 모를 것 같아?"

영앤리치는 홍진영이 기술을, 이민섭이 경영을 담당하는 투톱 체제였다.

하지만 공정위 공문은 천생 이과생인 홍 대표도 심각하단 걸 알 수 있을 정도였다.

"그러게 내가 지저분한 방법은 쓰지 말자 했잖아! 알바를 고용하고 난 이후 똥파리들만 잔뜩 늘었어. 우리 서버관리팀이 매일 하는 일이 뭔 줄 알아? 조건 만남 게시글, 스폰 요청 게시글을 삭제하는 거라고!"

홍진영이 처음 구상했던 매칭 어플은 이런 추잡한 스폰 어플이 아니었다.

그는 대한민국 남성의 표본인 남고-군대-공대남이었고 졸업할 때까지 연애 한 번 못 해 본, 소위 말하는 천연기념물이었다.

나 같은 숙맥도 연애할 수 있는 시스템을 만들어 보면 어떨까? 영앤리치는 이 단순한 발상에서 출발한 회사로 그의 최종 목표는 온라인 결혼 정보 회사로 거듭나는 것이었다.

하지만 이민섭의 제안대로 유료 아이템을 남발하자 서버엔 똥파리들만 들끓기 시작했다.

매일같이 유료 아이템을 구걸하는 여자와 더러운 목적으로 접근하는 남자.

사기 피해 신고가 하루도 끊이질 않았고, 덕분에 서버는 아주 엉망이 되고 말았다.

"은혜도 모르는 새끼."

"뭐?"

"서버 관리 적자라고 매일같이 징징댔던 거 기억 안 나? 유료 아이템 없었으면 진즉 파산했어, 이 멍청한 놈아."

"머, 멍청한 놈?"

"그래, 이 멍청한 놈아. 제발 컴퓨터만 들여다보지 말고 현실을 봐라. 뭐? CC를 만들어 주는 온라인 소개팅? 대학생끼리 매칭되는 온라인 미팅? 꿈 깨, 이 병신아. 네가 생각하는 사업은 동화 속에서나 가능한 거야."

그간 마음에 담아 뒀던 말을 한바탕 쏟아 내니 속이 좀 후련하다.

그걸 들어야 하는 홍진영은 만신창이가 되고 말았지만.

"제발, 진영아……. 내가 너랑 왜 싸워야 되는 거냐? 우리 이거 하나 만들어 보겠다고 5천만 원씩 빚까지 진 공동 창업자 아니냐?"

"……."

"너는 흠잡을 데 없는 훌륭한 어플을 만들어 냈어. 난 거기에 걸맞게 공격적인 마케팅을 해야 했고. 좋게 생각하자. 이건 우리 회사가 점점 커지고 있다는 증거야. 기업이 커지는 성장통일 뿐이라고."

여전히 납득할 수 없었지만 이젠 납득이 안 돼도 입을 다물어야 했다.

이민섭의 말은 틀린 게 하나 없었다. 그는 경영에 문외한이었으며 사업을 하기엔 너무나 천진난만했다.

이민섭은 수완이 밝았고, 그의 말대로 유료 아이템 도입 이후 더 이상 돈 걱정 없이 사업할 수 있었다.

공동대표란 직함을 갖고 있지만 회사의 최종 결정권은 이민섭에게 있다는 걸 예전부터 깨닫고 있었다.

"진영아. 난 스티븐 잡스고, 넌 워즈니악이야. 이 말 기억나?"

"……."

"절대로 너 같은 애들은 경영을 해선 안 돼. 그건 나처럼

천성이 더러운 애들한테 맡기라고. 그럼 우린 훌륭한 파트너가 될 거라니까."

경험상 말로는 이 녀석을 당해 낼 수 없었다.

홍진영은 살짝 눈썹을 치켜들며 물었다.

"그럼 대책도 다 있는 거지?"

"그래, 우리 그냥 여기에 다 깔끔하게 승복할 거야."

"고작 그게 대책이야? 자수하자는 거?"

"자수가 아니라 손절이라 하자. 더 큰 손해를 보기 전에 여기서 발 빼는 거야."

이해가 느리다는 걸 알았기에 이민섭은 공정위 공문을 다시 들었다.

"봐 봐. 여기엔 지금 허위 과장 광고만 문제 삼았지?"

"그래서?"

"우린 이 싸움을 길게 끌지 않을 거야. 공정위가 억대 과징금을 때려도 무조건 승복할 거라고."

"억대 과징금이면 우리 1분기……."

"그걸 포기해야 돼! 지금 가장 중요한 건 절대 장부를 뺏기지 않는 거야. 그놈들은 바보가 아니야. 걔네가 우리 장부 가져가서 정말 전문직 가입률 1위지, 여성 가입률 1위지 회원을 조사할 거 같아?"

"……."

"천만에. 결국 우리 회계 자료를 뜯어볼 속셈이라고. 이것만 안 들키면 우리 사업의 문제점도 못 찾는다."

다른 건 몰라도 한 가지는 확실히 이해할 수 있었다.

이 방법대로라면 공정위와의 싸움이 길어지지 않을 수 있다는 것.

"걱정하지 마. 자문받아 보니까 허위 광고는 겨우 과징금 2-3억대더라. 우린 그냥 서버 관리자 두세 놈을 잠시 해고하면 돼. 이 정도면 기술팀에서 해 줄 수 있지 않아?"

"만약 그래도 해결되지 않으면……."

"그럴 일 없어. 놈들이 얼마를 부르든 무조건 승복해 버릴 거니까."

결국 액수의 문제였다.

홍진영은 이 사태를 조속히 끝낼 수 있다면 억만금도 지불할 용의가 있었다.

이내 그가 고개를 끄덕이자 이민섭은 다시 천사의 미소를 지었다.

"그래, 그래야 내 동업자지! 걱정하지 마. 내가 한 달 안으로 이거 끝낼게."

"과장님, 배 팀장입니다."

"어, 들어와."

문을 열고 들어선 배 팀장은 어쩐지 표정이 좋지 않아 보였다.

"왜 그렇게 또 죽상이야?"

"그게, 저…… 영앤리치에서 오늘 답변이 왔는데요."

"벌써?"

"예. 근데 과장님 말씀대롭니다. 허위 과장 광고 건을 바로 인정해 버렸어요."

"과징금 액수는 아직 얘기도 안 꺼내 보지 않았나?"

"네. 듣지도 않고 무조건 승복부터 하겠다 하던데요. 역시나 저희한테 장부를 보여 주기 싫다는 뜻 같습니다."

기업이 과징금 액수도 듣지 않고 용서부터 빈다.

이건 회계장부에 똥물이 잔뜩 묻어 있다는 증거이기도 했다.

"뭐가 문제야? 충분히 예상했던 일 같은데."

"그게, 저…… 진짜로 그 방법을 써도 되는지."

"그럼 내가 쓰지도 못할 방법을 알려 줬겠어? 그냥 때려, 과징금 50억."

배 팀장이 짧게 신음을 토했다.

과징금 50억. 조사관인 자신이 들어도 어이가 없는 액수다.

"왜? 공문도 내가 직접 작성해서 보내 줄까?"

"아, 아닙니다. 근데 액수를 좀 줄여서 5억으로 하는 게 어떻습니까. 솔직히 50억은 너무 터무니없는 액수잖아요."

"그놈들을 도발하려고 쓴 액순데 당연히 터무니없어야지."

"그래도 정도라는 게 있는데……. 괜히 과잉 조사라는 빌미만 주는 건 아닌지 모르겠습니다."

툭.

준철이 무심한 얼굴로 결재판을 내려놨다.

"그런가? 내가 좀 심했나, 적정 과징금이 5천만 원 수준인데 그 100배를 불러 버리다니. 근데 아마 5억 정도 때리면 놈들은 좋아라 할 거야. 장부를 안 보여 주는 대가로 5억은 무척 싼 편이거든."

"……."

"배 팀장."

"네……."

"상대방을 도발할 땐 확실하게 해라. 어설픈 과징금을 때리면 그쪽에서 넙죽 받아먹어. 그 뒤엔 어쩔 거야? 우리 처벌 다 따르겠다는데 조사 명분 있어?"

배 팀장이 고개를 저었다.

"죄송합니다. 역시 뱁새가 황새를 따라가면 가랑이가 찢어지는 모양이에요. 제가 과장님 담을 못 따라잡겠습니다."

"그래. 허락해 줄 테니까 마음껏 갈겨. 어차피 조사 과정에서 문제 생기면 최종 결재 라인인 내가 책임져 주겠다고."

준철은 녀석을 더 타박하지 않았다.

배 팀장이 왜 두 번 세 번 확인하려 하는지 안다. 과장의 편법 처벌로 국장이 곤욕을 치렀듯, 팀장의 과잉 처벌은 과장이 책임져야 한다. 자신 때문에 과장님이 귀찮아질까 몇 번이나 되묻는 것이다.

"됐냐?"

"……예. 과장님께서 두 번이나 말씀해 주시니 결심이 섰습니다. 말씀대로 하겠습니다."

"아, 잠깐만. 너, 영앤리치 회계 자료 가져오면 나한테도 사본 하나 보내 봐."

"사본요?"

"네 말대로 그놈들이 장부 관리를 절대 어설프게 하진 않았을 거야. 알바 고용 내역은 이중 삼중 꼬아 놨을걸."

"아……."

"함께 찾아 줄 테니까 부담 갖지 말고 와."

"네, 알겠습니다."

배 팀장은 꾸벅 인사를 하며 결재 서류를 다시 가져갔다.

혼자 남게 된 준철은 턱을 괴고 책상에 누웠다. 부하 직원 앞이라 좀 허세를 부렸지만 부담스러운 것도 사실이었다.

그렇게 장부를 다 깠는데 알바가 단순 유언비어라면 얼마나 개망신이겠나. 단순 허위 광고에 50억을 때린 희대의 미친 과장으로 남을 터였다.

'그 꼴을 안 보려면 무조건 찾아야 되는데.'

하지만 방금 보고를 들으니 없던 자신감까지 생겼다.

장부를 숨기려는 흔적이 너무나도 보인다. 일반적인 모습은 절대 아니었다.

◎

한국의 실리콘밸리라 불리는 판교.

과연 IT 1번지답게 인텔리 직장인들이 많이 보인다. 영앤리치는 거대 IT 공룡들의 하청사들이 모여 있는 뉴테크빌리지 빌딩을 사용하고 있었다.

이곳에 사무실을 얻을 수 있다는 것 자체가 회사가 성장세에 있음을 말해 주었다.

배 팀장은 긴장한 얼굴로 영앤리치 본사에 도착했다.

'쫄지 말자. 칼자루는 우리한테 있다.'

그리 다짐했지만 부질없는 일이었다.

"당신들 진짜 미친 거 아닙니까? 50억? 50억!"

처음 만난 이민섭 대표는 숨넘어가기 일보 직전이었다.

하긴 자기도 어이없는 숫잔데 당사자는 얼마나 어이가 없겠나.

"이건 대체 어느 나라 계산법입니까? 고작 허위 광고 좀 했다고 50억을 때려?"

"긴말 않겠습니다. 그럼 그냥 자료 협조해 주세요. 저희 과

징금이 과했다면 자료를 직접 보고 조정해 드리죠."

"이것들이 끝까지 사람을 농락하네!"

이민섭은 거의 눈이 돌아가 있었다.

"우리가 공정위의 그 검은 속을 모를 것 같아? 애초에 본 목적은 이거였지? 우리 자료를 까 보는 거."

"저기요. 지금 이 대표님은 조사 대상자입니다."

"무슨 조사 대상? 혐의가 뭐요? 인터넷에 떠도는 유언비어?"

더 이상 돌려 말하는 건 의미가 없다.

"뭐, 그게 사실인지 아닌지도 이번 조사에서 확인할 겁니다."

"역시나 본 목적은 따로 있었구먼. 쪽팔리지도 않아요? 정식 조사로 쳤다가 혐의를 못 발견하면 곤란해지니 이딴 꼼수를 쓰는 거잖아."

"본인이야말로 쪽팔리지 않나요?"

"뭐?"

"장부 압수 안 당하려고 갖은 꾀를 내셨잖아요. 우리가 적당한 금액을 불렀으면 넙죽 승복하셨을 거죠? 가장 추악한 자료는 장부 안에 숨어 있을 테니."

이민섭은 배 팀장을 노려보더니 고개를 돌렸다.

"김 팀장, 자료 내줘. 그리고 변호사에게 연락해. 허위 과장 광고에 50억이 떨어진 사례가 있었는지 어디 한번 보자고."

"예, 알겠습니다."

"그리고 댁은, 만약 허위 광고 말고 다른 혐의를 찾지 못한다면, 우리도 가만있지 않을 거란 것만 아세요."

공정위가 진공청소기처럼 자료를 뽑아 가자 사무실은 적막에 잠겼다.

아직 스타트업 수준의 회사가 풍비박산 나고 말았다. 조사를 잘 끝마치는 건 고사하고 이젠 회사의 미래조차 장담할 수 없다.

이민섭은 뒤숭숭한 분위기를 차마 눈 뜨고 볼 자신이 없었던지 전 직원을 퇴근시켜 버렸다.

그가 한참 동안 주변을 서성일 때 비서가 조심히 곁으로 다가왔다.

"대표님, 박 변호사하고 상담했습니다."

"뭐래?"

"허위 광고에 50억 과징금은 듣도 보도 못한 얘기랍니다. 놈들이 만약 다른 혐의를 못 찾으면 과잉 조사로 저희도 소를 제기할 수 있다 합니다."

너무나 당연한 사실을 법조인에게 확인까지 받으니 더욱 열이 뻗쳤다. 변호사도 아는 걸 공정위라곤 왜 모르겠나. 알면서도 도발한 것이다.

하지만 분노는 반짝이었고 이내 불안감이 엄습했다.

다른 혐의를 찾지 못하면…… 이 전제를 뛰어넘을 자신이 없다.

"너무 걱정 마십쇼. 자료를 살펴본다 한들 못 찾아낼 겁니다."

"진짜 모를까……?"

"당연하죠. 우리가 유령 고객 숨기려고 장부에 분칠을 얼마나 했는데요. 솔직히 이건 공정위가 우리를 만만하게 본 겁니다. 웬만한 대기업보다 우리 장부에서 먼저 찾는 게 더 힘들 겁니다."

비리의 온상이란 편견과 달리 회계장부를 가장 깔끔하게 쓰는 건 대기업들이다.

이들에겐 공시의 의무가 있고, 칼을 벼르고 있는 금감원이 있으며, 매 분기마다 감사를 요구하는 소액주주들이 있다.

하지만 스타트업 장부는 다르다. 영앤리치는 상장회사도 아니었고, 장부를 정직하게 기록하지도 않았다. 먼지 속에서 더 큰 먼지를 찾아야 할 텐데 과연 할 수 있을까?

"그렇지. 우리 장부에서 뭐 더러운 게 한두 군데야?"

이민섭은 겨우 숨을 돌렸다.

"최 비서가 차라리 낫다. 진영이 그 새끼는 물러 터졌어. 무늬만 공동대표라고."

“네, 염려 놓으십쇼. 홍 대표님이 개발 쪽에서는 유능할지 모르나 경영은 전혀 다른 영역입니다.”

“아니, 이건 개발과 경영의 문제가 아니야.”

“예?”

“수완이 있느냐 없느냐, 멍청하냐 똑똑하냐의 문제라고. 최 비서도 알지, 진영이 그놈이 틈만 나면 허튼소리 해 대는 거? 나 진짜 속이 터질 것 같다. 동업자가 아니라 무슨 애새끼 데려다 사업하는 거 같다고.”

홍진영은 전형적인 외골수 개발자로, 간혹 어이없는 얘기를 늘어놓아 사람을 당황시켰다.

최 비서도 그 기행을 익히 알고 있었기에 이민섭의 심정에 공감이 갔다.

“그래도 어쩌겠습니까. 공동대표라 서로 협력해야 할 일이 많은데…….”

“그놈의 공동대표, 개나 줘 버리고 싶네. 아니, 차라리 개랑 동업을 하고 말지. 내 솔직한 마음 같아선 그냥 건수 잡아서 쫓아내고 싶다.”

권력은 부자지간에도 못 나눈다 했던가.

사업이 궤도에 오르며 두 대표의 마찰도 잦아진 터였다. 이민섭은 예전부터 공동대표의 한계를 느끼고 있었다.

어차피 서버야 다 만들어졌고, 이제는 관리만 해 주면 된다. 기술 쪽은 대체 인력도 넘쳐 난다.

하지만 자신이 가지고 있는 사업 수완은 누구도 대체할 수 없다.

그렇게 한참 욕을 늘어놓던 이민섭이 다시 본론으로 돌아왔다.

"근데 최 비서, 방금 한 말은 어디까지나 다른 혐의가 걸리지 않으면, 이라는 전제잖아? 만약 걸릴 경우엔……."

최 비서가 서류를 내밀었다.

"사실 그것도 방법이 하나 있긴 합니다."

"방법?"

"예. 저희가 알바 회원에게 돌린 돈, 어차피 특판비로 마구 세탁을 해 놨잖습니까."

"그래. 공정위는 그 빈 돈의 출처를 캐물을 텐데."

"그 돈만 횡령으로 둔갑시키면 됩니다."

이민섭의 눈이 번쩍 뜨였다.

"횡령?"

"네, 알바 고용에 쓴 돈을 대표님이 횡령한 것으로 둔갑시키는 거죠. 사실 출혈을 아주 막을 순 없습니다. 어떻게든 돈의 행방에 대해선 실토해야 하니까요. 하지만 유령 회원의 존재만은 끝까지 감출 수 있습니다."

절묘한 한 수다.

빈 돈의 출처를 모두 횡령으로 둔갑시키다니! 물론 그 책임자는 과징이나 부장 같은 어중이떠중이가 될 수는 없다.

그 정도는 대표인 자신이 뒤집어써야 한다.

"그래, 알바생을 들켜서 회원이 잃느니 차라리 내가 형사 처벌 당하는 게 낫지."

이민섭의 머릿속엔 자신이 받을 처벌에 대한 생각 따윈 이미 존재하지도 않았다.

어차피 이 어플에 가입한 회원들은 대표가 횡령했는지 탈세했는지는 안중에도 없다. 자신이 집행유예만 감수하면 모든 게 다 원상태로 복구될 것이다.

"하지만 그 액수는 당연히 나눠 갖는 게 맞습니다."

"진영이랑?"

"네, 두 분은 공동대표이시니까요. 사실 횡령액을 나눠 가져야 처벌도 반으로 줄어들 수 있습니다."

"그건 됐다."

"하지만 대표님……."

"그놈 말 벌써 잊었어? 이 모든 사태가 회사를 여기까지 키운 다 내 탓이라잖아. 절대 그놈하곤 경영 얘기를 나눠선 안 돼. 내가 이 얘기를 꺼내면 지 호적에 빨간 줄이 그어진다고 펄쩍 뛸걸."

이젠 홍진영만 생각해도 화가 나는 이민섭이다. 위로 올라갈수록 책임질 일은 많아지는데 놈에게 이런 책임감을 요구하는 건 무리겠지.

"그래도 혼자 감당하기엔 좀 부담이 되는 액수일 텐데

요…….”

“괜찮아. 어차피 그 새끼 몰래 빼돌린 돈이 한두 푼도 아니야. 그냥 지금까지 잘 넘어갔던 돈이 이번에 걸렸다 생각하지.”

두 사람은 그 둘만 아는 뒷얘기가 있는지 서로 웃음을 삼켰다.

“이제 보니 그놈하고 길게 사업 못 하겠다. 언제 기회 봐서 한몫 떼 주고 쫓아내야 돼.”

“저도 더 이상 투톱 체제는 의미가 없다 봅니다. 대표님께서 선두에 서셔야죠.”

간지러운 부분을 건드려 주자 그의 기분이 좋아졌다.

“그럼 최 비서가 이 자리 맡아. 사장 자리 정도. 어때?”

“맡겨만 주시면 최선을 다하겠습니다, 하하.”

“그래, 그게 차라리 좋겠어.”

두 사람은 공정위 조사가 별로 신경 쓰이지 않는지 농담까지 나눴다.

절대로 들키지 않을 거란 확신이 드는 모양이었다.

“문제점이 하나도 없다는 겁니까? 그렇게 깔끔해요?”

“아니요. 정반대입니다. 스타트업 회계장부는 정말이지 이상하지 않은 곳이 없어요. 너무 다 엉망이라 더 특별히 엉망인 곳을 찾을 수 없었습니다."

호기롭게 자료를 다 압수해 왔지만 배 팀장은 곧 난관에 봉착해야 했다.

증권시장에 상장된 대기업 회계 자료와는 정말 차원이 다르다.

제대로 된 내역이 대체 뭔지 싶을 만큼 회계 상태가 엉망이었다.

흰옷에서 먼지 찾는 게 아니라, 먼지투성이의 옷에서 가장 더럽고 큰 먼지를 찾는 작업이었다.

이토록 불투명하니 조사가 진척될 리 없다.

"일단 의심 가는 곳 몇 군데를 체크해 두긴 했습니다."

반장의 보고서에 배 팀장이 한동안 서류에 골몰했다.

그때, 그의 전화기가 울렸다.

"예, 과장님. 예? 아, 죄송합니다. 사본을 드리는 걸 깜빡했네요. 지금 올라가겠습니다."

그는 허겁지겁 일어나더니 반장에게 말했다.

"반장님, 우리 이거 사본, 과장님께 제출 안 했나요?"

"아…… 까먹고 있었네요. 죄송합니다. 지금 할까요?"

"아닙니다. 지금 원본 가져오라시네요. 저 잠시 위에 다녀올게요."

배 팀장은 긴장한 얼굴로 준철의 대답을 기다렸다.

하지만 오랜 시간이 지나도록 기다리던 대답이 나오지 않았다. 한참 만에 입을 열었을 땐 엉뚱한 질문이 튀어나왔다.

"뭐야? 왜 등기가 2명으로 되어 있어?"

"아, 영앤리치는 공동대표 체제입니다. 홍진영이란 놈이 기술을 담당하고, 이민섭이 마케팅을 담당한다고요. 둘은 고등학교 동창이라 합니다."

"그럼 다 잡았네?"

"예?"

"이놈들 돈세탁 창구 말이야. 이 라인업 중에 하나라는 거 아니야?"

준철이 가리킨 대목은 가장 불투명한 마케팅 비용이었다.

아무래도 이실직고해야 할 것 같다.

"그게 저, 과장님. 아무것도 못 찾았습니다."

"뭐?"

"제가 스타트업 회계 자료를 너무 얕잡아 봤습니다. 사실 이것도 유난히 이상했던 목록을 추린 거지, 진짜 문제가 있어서 뽑은 건 아닙니다."

배 팀장은 지난 사흘 동안 아무것도 찾지 못했단 얘기를 털어놓았다. 그런데 준철이 코웃음을 쳤다.

"얀마, 딱 보면 나오는구먼. 왜 도착 지점에서 갑자기 유턴하냐?"

"……나오다니요?"

"여기 판촉비 봐 봐. 딱 느낌 안 와?"

판촉비는 판매 촉진비의 준말로 마케팅 비용을 지칭하는 표현이다.

대개 광고, 프로모션, 접대 등을 총칭하는데, 세무 회계 내역에서 가장 지저분한 영역이었다. 그 이유는 바로 증빙 자료를 안 부쳐도 되는 유일한 항목이기 때문.

"그러고 보니…… 여기 판촉비가 지나치게 높네요?"

"그래, 이게 빨대다. 여기로 회사 자금을 세탁시킨 다음에 알바를 고용했을 거야."

"그런……가요?"

너무 많은 설명을 건너뛴 걸까. 배 팀장은 그의 설명을 쉽사리 따라가지 못했다.

하지만 놈에게 친절하게 설명해 줄 만큼 시간이 여의치는 않았다.

"하는 거 보고 배워. 두 번은 안 보여 줄 거야."

"아, 예."

"이놈들이 이 판촉비 10억 중에 증빙 부친 게 얼마야?"

"음…… 4억입니다."

"그럼 6억은 출처 불분명?"

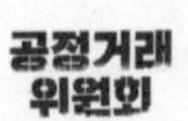

"예. 근데 그 6억도 접대 등에 쓰였을 가능성도 있는데……."

떠들거나 말거나.

준철은 이미 회계 자료와 증빙 자료 대조에 들어가기 시작했다.

"접대하러 갈 땐 판촉비로 노는 거 아니야. 영업비로 노는 거지."

"……예?"

"룸살롱 영수증은 경비 처리 대상이라고, 영업비로 잡히는."

실로 그러했다. 준철이 회계 자료 몇 건을 정리하니 이미 영업비 내역에서 고급 룸살롱, 술집 등이 잡혔다.

"자, 그럼 됐지? 6억은 절대 접대비로 쓴 돈이 아니다?"

"예……. 근데 과장님, 이걸 어떻게 그리 단박에 아십니까?"

왜 모르겠냐. 건설사 임원은 하청들 순회공연을 돌면서 접대받는 게 일인데.

"감."

"……감요?"

"시끄럽고. 이 판촉비 증빙 자료도 다 가져와 봐. 내가 봤을 때 이놈들 4억도 판촉비 아니야."

실로 그러했다.

놈들이 증빙이라고 낸 서류들 중 상당수가 중복 영수증이었고, 허위 영수증이었다.

매출 전표를 따라 몇 군데 전화를 돌리니, 다들 없는 번호라 나왔다.

증빙 자료가 붙은 판촉비 4억은 다 광고 집행비라 나와 있었는데, 이 전화 중 받는 번호가 아무도 없었다.

"뭐야? 왜 받는 전화가 없어? 설마 이 세금계산서도 다 자료상한테 샀나?"

"자료……상이요?"

"허위 세금계산서를 발행해 주는 사람."

"아……."

"배 팀장, 너 공정위에서 오래 일하려면 세법 공부 좀 해놔. 회계 자료를 못 보면 너처럼 그냥 다 얼렁뚱땅 넘어가는 거야."

배 팀장은 고개가 땅으로 처박히는 중이었다.

그야말로 일당백 과장님이다. 기업들이 어떤 수법으로 장부에 분칠을 하는지 너무나 잘 꿰고 있다. 마치 수십 번이나 해 본 사람처럼.

질 끝판왕 사망

한명그룹
김성균 본부

의좋은 동업자

"정리해 봐. 지금 얼마야?"

"예. 일단 1억 다 가짜로 판명 났습니다. 7억 빕니다."

"이거랑 이거도 자료상한테 산 허위 계산서다. 지금은?"

"이러면 2억이 허위 세금계산서입니다. 8억 빕니다."

그 과정을 10분 정도 더 걸쳤을 때, 너무나 끔찍한 결과가 눈앞에 펼쳐졌다.

"다 가짜네요……. 판촉비 10억 모두 다 빕니다."

씁쓸하다.

스타트업들은 공권력이 얼마나 무서운지 모르는구나. 증빙자료 모두 다 허위 계산서로 판명이 났다. 국세청 조사4국에 걸렸으면 세무조사 한 번으로 회사가 휘청였을 거다.

배 팀장은 눈앞에 펼쳐진 현실보다 준철에게 더 놀란 눈치였다.

회계 자료에서 진실과 거짓을 구별할 수 있는 과장이 흔할까? 그것도 무슨 치킨 뼈 발라내듯 쉽게?

"어떡할까요?"

하지만 그 높아 보였던 과장님이 한동안 아무런 대답도 하지 않았다.

회사 돈 10억이 빈다는 걸 확인한 건 좋다. 근데 이것이 알바 고용에 들어간 돈인지까지는 확인할 수 없었다.

"과장님, 이거 좀만 더 파 보면 알바 회원한테 돈을 지급한 내역도 나올 것 같은데요."

"아니, 우리가 확인할 수 있는 건 딱 여기까지다."

"예?"

"그걸 장부에 남기면 선수겠냐. 이건 우리 조사가 닥쳤을 때 바로 폐기했을 가능성이 커."

잘 이해가 되지 않았다. 여기까지 미친 듯이 달려왔던 과장님이 도착 지점을 딱 한 발짝 남겨 두고 꼬리를 내리다니?

"빈 돈 10억을 찾아낸 게 중요한 게 아니야. 그 돈이 정확히 어디로 입금됐는지를 찾아야 돼."

"잘 이해가 안 갑니다. 어찌 됐건 빈 돈 10억을 찾았잖아요. 그럼 횡령이든 뭐든 다 엮을 수 있는 거 아닙니까?"

"그러니까 문제지. 우린 알바 회원들한테 지급한 돈으로

파악하는데, 이걸 횡령으로 둔갑시키면 어쩔 거야?"

그제야 준철의 말을 이해하는 배 팀장이었다.

너무나 가능성 있는 얘기다. 아니, 이렇게 될 것 같았다.

현 상황에서 알바 회원을 인정해 버리면 사업 자체가 도산될 수 있지 않나. 하지만 대표의 배임과 횡령이면 겨우 그에 대한 처벌로 그친다.

그리고 그의 예상에도 놈들은 갖은 더러운 방법을 다 쓸 것 같았다.

"아무리 그래도 횡령은 본인 책임이 더 큰데……."

"하고도 남는다, 알바 회원을 썼다가 걸린 것보단 차라리 그게 싸게 먹히니. 우린 10억의 행방이 정확히 어디로 갔는지까지 찾아야 돼."

두 번 묻지 않았다. 과장님 말씀대로 항상 조사는 최악의 상황을 고려하고 덤벼야 한다.

"그럼 저희가 쓸 수 있는 방법이 없는데요……."

"딱 하나 있어. 내부 고발."

"그 코딱지만 한 회사에 내부 고발자가 있을까요? 솔직히 이 정도면 회계 자료도 겨우 한두 명의 손만 거쳤을 것 같은데."

배 팀장이 오랜만에 일리 있는 지적을 했다. 준철도 같은 생각이었지만, 아주 가능성 없다고 보진 않았다. 무엇보다 서류 첫 장이 가장 걸린다.

"뭐, 그건 아직 결정할 순 없는 문제고. 일단 피해 증언부터 모아 보자."

준철은 서류를 돌려주며 말했다.

"이거 지금 피해 사례가 공유되고 있다고?"

"예. 지금 인터넷 카페 등지에서 비슷한 피해 사례가 속출하고 있습니다."

"내용은 다 똑같아?"

"예. 상대 여성을 만났더니 알바란 얘기였습니다."

"좋아. 그럼 그 사람들 좀 모아 봐."

배 팀장이 머리를 긁적였다.

"모아서 뭘 할 수 있습니까?"

"피해 증언을 많이 모아야 압박 수단이 될 수 있거든."

"아, 이걸로 이민섭을 압박하실 생각이군요."

준철은 귀여운 눈빛으로 그를 훑었다. 아직 멀었다. 그놈은 최종 타깃이지 절대로 회유에 넘어갈 놈이 아니다. 지금은 그 주변에 있는 놈들을 쳐야 한다.

하지만 여기까진 구태여 설명하지 않았다.

"그래, 그러니까 돌면서 증언을 모아 봐. 그리고 혹시 여자 쪽에서 자기가 알바란 자백 받아 낼 수 있으면 필히 받아 놔. 그건 빼도 박도 못할 내부 고발이다."

"넵, 알겠습니다."

배 팀장이 부리나케 사라질 때, 준철은 다시 서류 첫 장으

로 돌아왔다.

[공동 대표 이사 : 이민섭, 홍진영]

대체 누굴까?

지금은 이민섭보다 그 뒤에 있는 홍진영이란 놈이 더 궁금하다. 어쩌면 이게 이 사건을 단숨에 해결해 줄 실마리가 될 것 같았다.

"어떻게 됐어?"

"대표님, 아무래도 저희가 속고 있는 것 같습니다."

"속아?"

"지금 공정위가 피해 사례를 확보하고, 가담자까지 찾으러 다닌답니다. 알바 회원이 자백해 버리면 끝이에요. 이거 절대 금방 끝날 수사가 아닙니다."

홍 대표는 시시각각 얼굴이 무너져 내렸다.

보고는 좌절의 연속이었다.

허위 광고로 시작된 조사가 어느새 유령 회원 의혹으로 번지고 있었고 법조계에선 벌써 기소네, 영장이네 하는 소문까지 떠돌았다.

추후 조사가 어떻게 진행될지는 모르지만 한 가지는 분명해졌다. 영업팀이 기술팀에 숨기는 사실이 있다는 것.

"대표님께서도 이 사실에 대해 몰랐다면 이건 이 대표의 책임이 큽니다."

"맞습니다. 어떻게 동업자에게도 조사 상황을 보고하지 않을 수 있습니까?"

이민섭에 대한 기술팀의 원성을 하늘을 찔렀다.

자신만 믿어 달라, 조사는 잘 진행되고 있다는 말이 모두 거짓으로 들통났으니.

사실 영앤리치에서 경영팀과 기술팀의 갈등은 어제오늘의 일이 아니었다.

경영팀은 머슴 부리듯 기술팀을 대했고, 그들의 무모한 마케팅 때문에 피해를 봤던 게 한두 번이 아니었다.

"너무 극단적으로 생각하진 말자. 경영은 원래 지저분한 영역이야."

불만을 달래 보려 했지만 역부족이었다.

"저도 그랬으면 좋겠습니다만 솔직히 좀 이상하지 않습니까?"

"이상?"

"공정위한테 회계 자료를 안 뺏기려는 건 이해한다 쳐도, 왜 우리까지 못 보게 하느냔 말입니다."

"그거야 보는 눈이 많아서 좋을 건 없으니……."

"핑계죠. 그럼 저희는 못 보더라도 대표님껜 보여 줘어야 합니다. 대표님이 회사에서 못 볼 자료가 어디 있습니까?"

홍 대표의 얼굴이 싸늘해졌다.

"지금…… 이 대표를 의심하는 거야? 나 몰래 뭔가 작당한 게 있다?"

"단정할 순 없지만 거동이 수상한 건 사실입니다. 솔직히 전 이 대표가 공정위보다 대표님을 더 경계하는 것처럼 느껴집니다."

홍진영은 처음엔 화가 났지만 어느새 납득하고 있는 자신을 발견했다.

이민섭은 경영의 특수성을 들먹이며 불투명하게 회사를 운영해 왔다.

공동대표인 홍진영도 회사 회계 자료엔 함부로 접근할 수 없었고, 약식 보고서를 받아 보는 게 전부였다.

부당하다면 부당하지만 회사가 폭발적인 성장세에 있었기에 홍진영도 딱히 불만을 제기하지 않았다.

하지만 지금은 다르다. 원래 무너지는 회사들은 위기 때 그 추악한 면모가 다 드러나는 법이다.

"……."

불길한 생각이 조금씩 든다.

동업자끼리 횡령하고 서로 뒤통수를 치는 건 스타트업계에서 흔하디흔한 드라마 아닌가.

차마 말을 잇지 못할 때, 그의 고민을 끝내 주듯 비보가 들려왔다.

기술팀장 한 명이 노크도 잊은 채 사무실 문을 열었다.

"대, 대표님. 공정위가 지금 기소를 치겠다는데요."

"뭐?"

"피해자들 증언을 모아서 법원에 제출하겠다 합니다. 전자상거래법 위반 혐의로……. 그리고 다음 주부턴 여성 회원들 중심으로 알바 제의를 받았는지 확인에 들어간답니다."

"지금 그게 무슨 소리야!"

"그뿐만이 아닙니다. 저희 어플 내 성매매 유인글이 있었는데 왜 적극 제재하지 않았는지, 검토에 들어간다 합니다."

그때 홍진영의 휴대폰이 요란하게 울려 댔다.

평소 모르는 번호는 칼같이 차단하는 그였지만 어쩐지 그 전화는 놓치지 않아야 할 것 같았다.

홍진영은 침을 꿀꺽 삼키며 전화를 받았다.

–혹시 영앤리치 홍진영 공동대표님 전화입니까?

"맞습니다만 누구신지……?"

–현재 유령 회원 건을 조사하고 있는 공정위 이준철 과장입니다. 드릴 말씀이 있는데 따로 뵐 수 있을까요?

전화기 너머에서 강조하듯 말이 이어졌다.

–아, 단둘이요. 꼭.

어느 커피숍.

먼저 와서 자리를 지킨 홍진영은 찬물을 벌컥 들이켰다.

지금까지 많은 공무원을 만나 봤지만 이토록 긴장되는 건 또 처음이다.

'뭐야, 대체.'

이민섭은 분명 해당 일을 잘 알아서 처리하겠다고 약속했다.

하지만 최근 불거지는 문제를 보면 조용히 넘어가긴 그른 것 같다.

냉수로 쓰린 속을 달릴 때, 문제의 사내가 등장했다.

"홍진영 대표님?"

"예. 제가 영앤리치 홍진영입니다만."

"반갑습니다. 공정위 이준철 과장입니다."

또래로 보이는 남자가 말을 걸어오자 괜히 한시름 돌린 기분이 들었다.

준철은 상당한 경계심을 보이는 그에게 칭찬부터 건넸다.

"젊은 나이에 성공하셨다더니 예상대로군요."

"아닙니다. 원래 IT 기업은 데뷔가 빠른 편이죠."

"사내 기술팀을 담당하신다고요."

"그렇습니다. 경영은 이민섭 대표가 전담하고 있습니다."

그는 전담이란 말을 강조했다.

"그리고 그 사건은 이미 경영팀에서 대응 중인 걸로 압니다만.

"대표님께 따로 드릴 말씀이 있어서요."

"말씀 듣기 전에 먼저. 괜히 저 같은 사람을 유도심문해서 회사를 무너트릴 생각이라면 단념하세요. 저도 오늘 이 자리에 나오기 전에 많은 변호사들에게 자문을 구했습니다."

무는 개는 짖지 않는 법이다.

이렇게 잔뜩 경계하는 걸 보면 오늘 이 자리가 상당히 무섭긴 한가 보다.

"그런가요. 그럼 변호사님께선 뭐라 조언해 주시던가요?"

"허위 광고에 50억 과징금은 듣도 보도 못한 얘기라더군요."

"이런. 변호사에게 모든 잘못을 실토하진 않았나 보네요?"

"무슨 말입니까?"

"세상에 어떤 공무원이 고작 허위 광고에 그 과징금을 때리겠어요. 알바 회원 고용 및 성매매 유인글 다수 방치, 그리고 트래픽 조작. 이 세 가지 죄목을 시인하고 다시 자문을 받아 보세요. 그땐 얘기가 좀 다를 겁니다."

얼굴이 쩍 갈라진 그에게 준철이 다시 말을 이었다.

"홍 대표님, 알바 회원 고용 이후 사내 어플이 엉망이 됐죠? 게시판엔 성매매 유인글이 넘쳐 모니터링하기 벅찰 지경이라고 알고 있습니다."

"그, 그런 일 없습니다."

"이미 저희 전문 기술팀이 다 확인한 내용들인데요. 끝까지 잡아떼실 겁니까?"

"……."

"저흰 이 모든 일이 영앤리치 영업팀 주도로 이뤄졌다는 것도 압니다."

"하고 싶은 말이 뭡니까? 기술팀은 처벌하지 않을 테니 영업팀을 팔아라 이 소립니까?"

메시지는 한껏 경계하고 있었지만 목소리는 이미 무너져 내린 뒤였다.

제안을 건네기에 더할 나위 없이 좋은 분위기가 찾아왔다. 준철은 그의 기색을 살피더니 찔러보듯 던졌다.

"혹시 이민섭 대표의 최근 행보가 뭔가 좀 수상하지 않았습니까?"

"수상?"

"회계 자료와 관련해서요. 돈이 빈다든가, 납득 안 되는 설명을 한다든가, 갑자기 횡설수설한다든가……."

살짝 건드려 봤을 뿐인데, 벼락같은 반응이 튀어나왔다.

"지금 사람 앞에 두고 뭐 하는 겁니까! 나랑 그 친구는 십 년지기야. 당신 이간질에 내가 넘어갈 것 같아?"

한심한 놈. 뒤통수는 보통 그런 관계의 사람이 친다는 걸 모르는 걸까?

"임직원들이 뜯어말려서 참고 있었는데 안 되겠어. 고작 허위 광고에 왜 과징금이 50억이나 붙었는지 내가 그 연유를 반드시 듣고 말 거야. 감사원이 아니라 넌 직권남용 형사처벌감이야!"

한참이나 노발대발하더니 나중엔 욕지거리에 저주까지 퍼부어 댔다. 처음엔 그 반응이 괘씸하기 짝이 없었으나 시간이 흐를수록 놈이 딱해지기 시작했다. 마치 울고 싶은 아이 뺨 때려 준 것처럼 극렬한 반응을 해 댄다. 어쩌면 이미 의심의 불씨가 이미 마음속에서 싹텄는지도 모른다.

"그 꼴 보기 싫으면 당장 그만둬. 당신하고 더는 할 얘기 없어."

그렇게 자리에서 일어날 때 준철이 씨익 웃었다.

"반응을 보아하니 이미 동업자를 의심하고 있었던 모양이군요. 어쩌지? 이대로 일어나면 당신 평생 호구 되는 건데."

"아니, 그래도!"

"목소리 낮춰. 여기 아가씨들 끼고 노는 노래방 아니야. 아, 당신은 구경도 못 해 봤으려나. 그거 다 버젓이 법카로 긁었던데."

"……뭐?"

"내가 당신 둘 이간질시켜서 자백받으려는 게 아니라, 이미 모든 데이터를 수집하고 검토해서 내린 최종 결론이라고.

영업팀 이민섭이가 자기 동업자 뒤통수까지 쳤다."

"……."

"10억인가? 판촉비로 썼다는 돈, 자료를 추적하니 다 허위 계산서야. 자료상을 싸구려로 썼나 봐. 진짜 실력 좋은 놈들은 허위 법인을 절대 이렇게 안 세우는데."

홍진영은 더 이상 화를 내지 못했다.

하긴, 웬만한 공정위 직원들도 기업 회계 자료 내막을 이렇게 자세히 알진 못한다. 먼지투성이 건설사 회계 자료만 팠던 준철에겐 귀엽게 느껴지는 자료였지만.

준철은 할 말을 잃고 멍하니 서 있는 그에게 쐐기를 박았다.

"근데 회계 자료에 이런 빈틈이 한두 건 아니더라고. 영앤리치가 영업 대행사 이 두 곳에 광고를 의뢰했지? 이거 저희가 법인을 확인했는데 유령 회사였습니다. 한 마디로 2년 동안 2억씩 허위 법인에 돈을 지불했던 겁니다."

"……."

"그런데 이런 내역이 한두 건이 아니야. 도대체 공동대표란 사람이 이런 내역을 정정하지 않고 뭐 하고 있었던 겁니까?"

모욕적인 표현이 튀어나왔지만 그의 귀엔 이미 아무것도 들리지도 않았다.

허위 법인, 허위 계약, 허위 세금계산서……. 자신이 피땀 흘려 이룩한 회사가 온통 거짓말투성이였으니 현실을 받아들이기도 쉽지 않을 것이다.

그래도 의심을 거두지 않는 그에게 목록을 내밀었다.

"필요하면 이 자리에서 전화해 보세요. 모두 허위 법인일 겁니다."

홍 대표는 한참 망설이더니 이내 자존심을 내팽개치고 직접 전화를 돌리기 시작했다. 하지만 그렇다고 없던 회사가 갑자기 생기겠나.

첫 전화에선 익숙한 여자의 목소리로 없는 번호라는 안내음이 흘러나왔다.

전화는 연이어 돌아갔고, 마지막 전화가 끝났을 때 그의 눈엔 눈물이 그렁그렁 맺혀 있었다.

"어떻게…… 어떻게 나한테……."

동업자끼리 뒤통수치는 건 스타트업들의 흔한 결말이다. 그럼에도 이렇게 충격을 숨길 수 없는 건 자기는 아니리라 생각했기 때문이겠지.

가장 어려울 때 의기투합해 역경을 견뎠으니 동업자에게 전우애까지 느꼈을 것이다.

그런 이에게 뒤통수를 거하게 맞은 기분이 어떨까. 어쩐지 그 기분을 조금 알 것 같긴 하다…….

준철은 괜한 상념을 집어치우고 더 거칠게 말했다.

"사내 평판을 들어 보니 두 사람은 참 재밌는 관계였더군요. 이 대표는 스스로를 잡스라 칭했고, 본인은 워즈니악이

라 했다고?"

"……."

"근데 잡스와 워즈니악은 우정이 아니라…… 착취 아니었던가요. 뭐, 내가 IT 전문가는 아니지만."

충분히 괴로워하고 있었기에 부연 설명까진 하지 않았다.

"긴말 않겠습니다. 여자 회원들에게 알바비 명목으로 돈을 돌렸죠. 이 때문에 어플 수질도 크게 떨어졌다고 들었습니다. 저도 그 어플에 가입해 봤는데 스폰 구인 구직 글들이 아주 넘쳐 나더군요. 기술팀은 이거 관리 안 했습니까?"

"그건 기술팀의 잘못이 아닌……."

"이제 와 영업팀 과실로 돌릴 생각 마세요. 이민섭 대표가 주도한 일은 곧 본인이 한 일입니다. 동업자니까."

그의 가슴이 철렁였다.

"그리고 본인은 정말 떳떳하십니까? 여성 회원 수가 많은 것처럼 트래픽을 조작했잖아요."

홍진영 또한 남탕 어플이란 오명을 벗어나기 위해 부지런히 트래픽을 조작하며 남녀성비를 허위로 만들어 냈다.

"이건 영업팀의 지시가 아니라 기술팀이 한 걸로 압니다. 설마 이것까지 남 탓 할 건 아니죠?"

"……."

"그러니까 제 제안 받으세요."

"……."

"알바 회원을 고용한 거 인정하고, 트래픽 조작 또한 인정하세요. 해당 행위는 전자상거래 위반 및 고객 기만입니다. 자백하시면 참작해 드리겠습니다."

이미 눈동자가 많이 흔들렸지만 아직 결심을 하기엔 이른 모양이었다.

"굳이…… 그걸 왜 요구하는 거죠?"

그의 목소리가 가늘게 떨렸다.

"그렇게 호언장담하실 정도면 이미 증거 다 잡았다는 거 아닙니까? 굳이 제 자백은 필요 없을 텐데……."

곰인 줄 알았는데 여우 같은 구석도 있다. 하긴, 머리가 아주 멍청하면 이런 사업 못 하지.

준철은 허세를 부리기보다 정공법을 택했다.

"네. 사실 없습니다. 판촉비에서 이상한 내역을 잡았지만 이걸 이 대표가 횡령이라 자백해 버리면 우리로선 닭 쫓던 개 지붕 보는 격이죠."

놈이 딴생각 못 하게 바로 말을 이었다.

"하지만 이게 여기서 끝나는 게 아닙니다. 공금횡령을 한 대가는 반드시 치를 겁니다. 그리고 해당 사이트는 이미 성매매 알선 게시판으로 전락한 지 오래예요. 저희가 이 데이터를 여가부에 가져다주면 어떻게 될까요?"

"여가……부?"

"경찰 여성청소년과가 가장 무서워하는 게 여가부입니다.

거기서 이 사건에 좌표를 찍으면 전국에 있는 광수대 경찰이 다 달려올걸요."

경찰 여청과는 대개 성범죄 사건을 전담하는 부서로, 경찰 내부에서 여가부 직속 라인이라는 말까지 나돌 정도다.

"그럼 자연히 어플 폐쇄 조치로 이어질 겁니다. 아, 사실 어플 폐쇄 조치는 필요도 없겠네요. 어차피 고객 기만행위가 터지면 다 떠날 테니까."

가지고 있는 패를 모두 깠지만 시원한 대답은 나오지 않았다.

하긴, 오늘 만나서 대답을 당장 듣고 가는 것도 우습다.

동업자를 배신하란 말인데, 그 결정이 쉽게 내려지지는 않겠지.

준철은 다그치기보다 엉덩이를 들었다.

"지금 당장 답하지 않아도 됩니다. 이틀을 드리죠. 하지만 아무런 대답이 없으면 두 분은 사이좋게 처벌될 겁니다."

준철은 유유히 자리를 떠났고, 혼자 남게 된 홍진영은 이를 달달 떨었다.

"바쁜데 왜 자꾸 오라 가라야?"

"얘기 좀 하자……."

"잠깐. 서로 또 감정싸움 할 얘기면 나중에 하자. 지금 나 이거 처리한다고 정신없어."

이민섭은 만사 짜증스러운 얼굴이었다.

사건이 터지고 나서 밤잠을 설치며 날아다니는 그다. 유능한 변호사들을 수소문했고, 공정위의 과잉 과징금에 소를 제기할 수 있다는 자문까지 얻어 냈다. 얘기가 잘 풀려 가던 중이었으니 시시콜콜 딴지만 거는 동업자가 반가울 리 없었다.

이미 정이 많이 떨어지기도 했고.

"꼭 설명을 듣고 싶은 부분이 있어서 그래."

"그니까 나중……."

"동업자가 아니라 친구 대 친구로서. 허심탄회하게."

이민섭은 얼굴에 드러난 짜증을 슬쩍 거둬들였다.

오늘따라 홍진영의 태도가 심상치 않았다.

"그럼 나부터 먼저 얘기해도 되냐?"

"그래, 너도 할 얘기 있으면 해."

"공정위 조사건 때문에 심란한 거라면 걱정하지 마. 대형로펌 세 곳에서 자문받았는데, 하나같이 다 과잉 과징금이래. 염병할. 말이 되냐? 허위 광고에 50억이라니!"

"……."

"우린 그중에 수임료가 가장 싼 곳만 고르면 돼. 여차하면 그 담당자 새끼한테 직권남용 제기도 가능하다더라. 이 부분은 걱정 마. 지저분한 일은 내가 전문이잖아?

가장 듣고 싶어 할 만한 소식을 전달했지만 어쩐지 친구의 표정은 어둡기만 했다.

홍진영은 한참이나 뜸 들이더니 작심한 듯 물었다.

"민섭아, 너 나한테 숨기는 거 없냐?"

"뭐?"

"회계 자료와 관련해서. 나한테 뭐 숨기는 거 없냐고."

이민섭의 머릿속에 오만가지 생각이 다 들었다.

등 한 번 툭 쳐 주면 언제 그랬냐는 듯 화가 풀렸던 친구의 반응이 낯설어졌고, 녀석이 던진 질문 자체도 민감하기 그지없었다.

숨기는 게 하도 많아 무얼 떠보는 건지 모르겠으니까.

그 잠시간의 정적은 홍진영에게 이미 충분한 대답이 되었다.

그는 한결 홀가분한 얼굴로 자료 하나를 내밀었다.

"이번에 회계 자료를 뜯기면서 우리가 알게 된 사실이 있어. 회사 돈이 상당히 많이 비더군. 나도 모르는 내역이 있을 정도로."

"진영아, 그건……."

"오해는 하지 마. 영업 쪽이 원래 다 이렇게 일하는 거 안다. 광고 단가를 낮추고, 투자금을 유치하려면 당연히 분내를 풍기고 뒷돈도 찔러줘야지. 그냥 너한테 확인차 묻는 거야. 우린 동업자지?"

이민섭은 얼굴이 싸늘하게 굳었다. 홍진영이 내민 자료가 모두 다 돈세탁 창구였음을 확인했기 때문이다.

유령 법인을 세웠고, 거기로 광고비를 집행한 척했다. 자료상에게 허위 세금계산서를 샀고, 그렇게 번 돈으로 자신의 뒷주머니를 채웠다.

그런데 그 적나라한 내역들이 바로 자신의 동업자인 홍진영의 손에서 나왔다.

"젠장, 진영아. 역시 네 말이 맞았다. 이래서 사람이 죄짓고 살지 말래나 봐. 그 화살이 결국 돌아오게 돼 있네."

하지만 그는 능숙한 베테랑이었다.

"알바 회원들에게 수당 지급하려고 돈세탁 회사 몇 개 돌렸다. 네가 지적한 회사들……. 그래, 우리 돈세탁을 도운 전문 업체들이야. 하지만 한 가지는 분명히 하자. 그중에서 나를 위해 쓴 돈은 없다. 우리와 우리 회사를 위해서만 썼어."

홍진영은 차마 이민섭과 눈을 마주치지 못했다.

눈 하나 깜빡 않고 거짓말을 늘어놓는 친구……. 이젠 점점 무서워진다.

10년을 함께한 우정보다 어제 만난 공정위 과장의 말을 더 신뢰하는 자신을 발견했다.

"확실해? 정말 없어?"

"없어. 전혀."

홍진영은 더 묻지 않았다. 한 번 아니라고 하면 자신이 틀

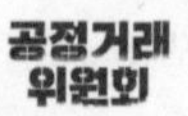

렸다는 걸 알아도 절대 인정하지 않는 친구의 성격을 알기 때문이다.

이젠 친구라는 호칭도 빛바래졌지만.

"좋아. 이런 말 꺼내서 미안하다. 그래도 서로 확실하게 하는 게 좋겠지? 판촉비 내역을 어떻게 알바생한테 지급했는지 정도는 알 수 있잖아."

"차명계좌 2개 써서 지급했다. 대부분 백화점 상품권 문상으로 세탁 한 번 해서 지급했는데, 몇 개는 계좌로 직접 입금해 줬어. 그 자료는 여기에 나와 있으니까 두 눈으로 직접 확인하고 싶으면 하고. 또 질문할 거 있냐?"

홍진영이 한풀 꺾인 목소리로 말하자 이민섭은 직접 자료까지 내줬다.

"아니, 나도 없다."

"표정은 그게 아닌 것 같은데? 기왕 얘기 나온 김에 우리 확실히 단도리 하자. 또 묻고 싶은 말 없어?"

"진짜 없어. 질문 꺼낸 내가 미안하다."

이민섭은 왠지 모를 불편함이 느껴졌지만, 굳게 다문 친구의 입을 보며 더 이상 아무 말도 묻지 않았다.

"후우…… 진영아. 우리가 대체 어쩌다 여기까지 온 거냐. 그때가 그립다. 옥탑방에서 서버 구축하고 난 판교 뛰어다니던 때. 알지? 초기 투자금 3천은 내가 전세 보증금 빼서 댄 거."

"그래, 후속 투자는 내 전세 자금으로 댔고."

"격세지감이지 않냐? 그때 나랑 넌 사무실에서 침낭 깔고 겨울을 버텼는데, 이젠 이 120평짜리 사무실도 좁아. 흐흐."

갑자기 추억팔이를 해 대던 이민섭이 두 손을 덥석 잡았다.

"이 고비만 넘기면 우린 탄탄대로다. 언제까지 사무실 평수 넓혀 가는 거에 만족할 거야? 판교에서 가장 삐까뻔쩍한 건물에 등기쳐야지. 안 그래?"

"……."

"네가 왜 이런 말 하는지 안다. 아마 여기저기서 너한테 유혹을 많이 해 올 거야. 근데 놈들의 이간질에 속아 넘어가지 마. 우린 벼랑 끝에서도 같은 편이야."

"그래…… 우린 같은 편이지."

"이런. 얘기가 또 길어졌네. 이 차명계좌 자료엔 모든 내역 다 나와 있으니 유심히 검토해 봐. 이해가 안 되는 부분 있으면 나한테 언제든 물어보고. 그럼 얘기 다 좋게 끝난 줄 알고 먼저 일어난다."

이민섭이 홀연히 떠나자 사무실엔 다시 적막이 찾아왔다.

홍진영은 분노도 후련함도 없는 얼굴로 회사의 치부가 담겨 있는 계좌를 응시했다.

놈의 말대로 두 사람에겐 좋은 시절이 있었다. 아이디어 하나로 무일푼 취준생이 업계 1등 기업에도 올라 봤다. 이 정도면 벤처 신화라는 표현도 과하지 않다.

하지만 아무리 생각해도.

거듭 나쁜 생각을 떨쳐 보려 해도.

동고동락한 친구의 말보단 어제 만난 과장의 말이 더 신뢰가 갔다. 이미 신뢰가 비틀어졌단 증거일 것이다.

-잡스와 워즈니악이 정말 우정이라 생각하시나요? 이 기회를 뿌리치면 당신은 평생 호구 잡히며 살 겁니다.

혁신의 아이콘이 된 잡스. 그리고 자신이 얼마나 당하고 사는지도 모르면서, 그래도 만족하고 살았던 워즈니악. 어제 만난 과장의 말이 다시 떠오르다가 뒤늦게 후회와 배신감이 몰려온다.

난 왜 이렇게 바보처럼 살았던 걸까.

'개새기……. 두 번은 안 당한다.'

하지만 홍진영은 여전히 세상물정 모르는 개발자였을 뿐이다.

"어, 난데. 지금 보낸 문자로 사내유보금 전부 다 옮겨 놔. 현금화할 수 있는 자산도 다 처분하고. 아니, 회사 돈 많아 봤자 공정위 과징금만 커져서 그래. 홍 대표랑 다 얘기 끝난 일이야. 그래, 오늘 안으로 처리해."

이민섭은 친구가 곧 자신을 배신할 것이란 것도 예상하고 있었다.

◎

이튿날 아침.

누군가 엘리베이터에서 과장실까지 전력질주하기 시작했다. 노크도 잊은 채 들어온 배 팀장은 숨을 헐떡거렸다.

"뭔데 이렇게 호들갑이야?"

"헉……헉. 과장님 말씀이 맞았습니다."

"뭐?"

"증인 잡으면 그 증인이 증거까지 가져올 거란 말씀요! 홍진영이 우리 편에 섰어요. 이민섭이 쓴 차명계좌 내역을 전부 저희 쪽에 넘겼습니다."

그 소식에 준철도 번쩍 몸을 일으켰다.

"전부 다?"

"네. 예상대로 알바비는 다 상품권으로 한 번씩 세탁해서 줬습니다. 그중에 다섯 건 정도 계좌에 직접 입금한 내역이 있는데 이게 고스란히 잡혔습니다."

이 정도면 재판 증거로 쓰기엔 충분하다.

입금 내역을 잡았으니 공범들을 소환해 더 많은 양의 자백을 받아 낼 수도 있다.

"좋아. 그럼 그 자료를 바로 검찰에 넘겨. 이민섭이 영장,

아니 출국 금지부터 받아 놔야 돼."

"근데 아직 원본 자료가 도착하지 않았습니다. 홍진영 측에서 먼저 약속부터 받고 싶다고……."

"야, 장사 한두 번 하냐! 홍진영은 불기소처분에 공금횡령 혐의도 적용하지 않을 거야. 대신 원본 자료를 24시간 안으로 가져와. 만약 이민섭이가 한국을 뜨면 남은 놈이 독박 쓰는 거야."

배 팀장이 부리나케 사라지자 준철도 덩달아 바빠졌다.

허위 세금계산서 발행, 공금횡령, 허위 과장 광고, 전자상거래법 위반…….

혐의가 너무 많아 어떤 죄목으로 처벌해야 쳐야 할지 모르겠다. 이럴 땐 영장이 가장 빨리 나오는 걸로 치는 게 맞겠지?

'근데 왜 자꾸 불안하지…….'

동업자의 내부 고발로 모든 퍼즐이 맞춰졌으니 이제 게임은 끝났다. 하지만 전신을 타고 도는 찝찝한 불안감에 한시도 앉아 있을 수 없었다.

괜한 노파심일까?

준철은 들뜬 마음을 달래려고 방금 준 배 팀장의 자료에 집중했다. 이미 외우다시피 본 회계 내역인데 자꾸 뭔가를 확인하고 싶어졌다.

그러다 이내 이 찝찝함의 근원이 무엇인지 깨달았다. 불과

하루 사이 사내유보금과 현금화할 수 있는 자산이 모두 공백으로 처리된 것이다.

이를 확인한 준철은 바로 서울지검으로 전화를 돌렸다.

"김 검사님, 저 공정위 이 과장입니다. 지난번에 말씀드린 그 사건, 동업자가 모든 자료를 들고 자수했습니다. 근데 저, 다름이 아니라……."

저간의 사정을 설명했지만 어째 뜨뜻미지근한 목소리가 들렸다.

–그러니까 사본 증거만 확보됐는데 영장을 쳐 달라고요?

"네. 한 시가 급합니다."

–과장님…… 법적 절차 아시잖아요. 한 발자국이라도 성급하면 꼭 트집 잡히는 거. 말씀 들어 보니 원본 증거가 곧 넘어올 것 같은데 천천히 하시죠. 뭐, 증거가 도망가는 것도 아니고.

"피의자가 도망갈까 봐 부탁드리는 겁니다."

–예?

"오늘 아침에, 업데이트된 회계 내역이 들어왔는데 이거 지금 돈이 다 사라져 있습니다."

–설마 그럼……?

이판사판 야반도주.

이건 구속과 출국 금지로도 막을 수 없다.

이민섭은 원체 눈치가 빠른 성격이니 돌변한 동업자의 태도와 조사 상황을 분명 눈치챘을 것이다.

"영장이 무리라면 일단 출국 금지부터 걸어 주십쇼. 무조건 발을 묶어야 합니다."

—하아…… 이거 절차상 문제 있는 건데.

검사는 잠시 고민했지만 눈앞에서 피해자를 놓치는 경험은 두 번 다시 하고 싶지 않았다.

그게 어떤 기분인지 가장 잘 아는 사람이다.

—알겠습니다. 일단 조치시켜 놓을 테니 원본 서류 바로 팩스로 보내주세요. 마침 영장판사가 제 연수원 동긴데 2시간 안으로 받아 놓겠습니다.

하지만 검사의 말은 실현될 수 없었다.

과장실 바깥에서 또다시 전력 질주하는 소리가 열리더니, 이번에도 노크 없이 문이 열렸다.

달려온 배 팀장은 망연자실한 얼굴로 말을 이었다.

"과장님…… 지금 이민섭에게 연락이 안 닿는답니다."

"뭐?"

"이틀 전부터 행방이 묘연하다고……. 회사에도 출근하지 않고 주변과 연락을 아주 끊었답니다."

젠장. 왜 불길한 직감은 틀리는 법이 없을까.

그 소리에 준철이 바로 외투를 들고 일어났다.

"경찰 광수대에 연락해! 아니, 언론에 먼저 뿌려! 이 자식 얼굴 대문짝만 하게 걸고 수배해! 이 자식 반드시 찾아야 된다."

◎

[벤처의 배신, 전도유망하던 만남 어플 대표 잠적]

[최근 공정위 조사가 이어진 것으로 알려져]

[닿지 않는 연락, 행방은 어디로?]

이튿날.

영앤리치 회사 소식이 신문 전면을 도배했다.

최근 IT 벤처 신화가 유행처럼 번지며 이와 관련한 사기 사건이 줄을 이었지만, 대표가 회사 돈을 들고 야반도주한 사례는 극히 드물었다.

사상 초유의 사태 속에서 뉴스는 이민섭의 얼굴까지 공개하며 행방을 찾았다.

-다음 소식입니다. 영앤리치 대표인 이민섭의 행방이 나흘째 묘연합니다. 검찰은 조속히 영장 신청과 출국 금지 신청을 했지만, 늦장 대응이란 비판이 쏟아졌습니다.

해당 회사는 현재 유령 회원을 고용했단 의혹을 받고 있으며 최근 공정위에 조사당한 것으로 알려졌습니다.

이에 회원들이 환불을 요구하며 몰려들었으나, 대표가 잠적하며 처벌될지도 미지수입니다.

준철은 언론 보도를 적극 지시하며 놈의 행방을 쫓았지만 나흘째 아무런 단서도 얻지 못했다.

시간이 지날수록 준철의 목소리엔 짜증이 담겼다.

"이 자식, 연락 진짜 안 돼?"

"네…… 친인척한테도 연락이 안 된답니다."

"그 친인척들한테 말해 놔, 자수하면 참작한다고."

보통 사람들은 이 대목에서 석고대죄하며 과징금 협상에 들어간다.

이렇게 잠적해 버리는 건 이건 죄를 시인할 용의가 없으며, 끝까지 막장으로 가자는 뜻이다.

"홍진영이는 어때?"

"거기가 진짜 패닉입니다. 완전 난리도 아니에요."

"혹시 그놈이 수상한 행적 같은 걸 보이진 않았어?"

"그놈이 도피를 도운 것 같지는 않습니다. 그래도 혹시 모르니 사람을 붙여 볼까요?"

"됐다. 일단 집중하자."

동업자 치부를 다 들고 자수했는데, 도피를 돕지는 않았겠지.

준철은 울화통이 다 터질 것 같다.

대책 없을 때 해외로 도피하는 건 너무나 흔한 결말 아닌가.

이제 와 검찰의 구속영장과 출국 금지는 무의미한 것이다.

밀항선만 타 버리면 재벌 부럽지 않은 제2의 인생이 기다리고 있을 테니.

오전부터 이어진 자책과 후회는 퇴근하고 잠자리에 들기 전까지 준철의 머릿속을 괴롭혔다.

그렇게 시곗바늘이 자정을 넘겼을 때, 불현듯 전화기가 울렸다.

"여보세요?"

—늦은 시간 죄송합니다, 과장님! 근데 지금 광수대에서 제보가 하나 잡혔는데요. 이민섭으로 추정되는 놈이 평택항으로 갔답니다.

"뭐?"

—오늘 새벽 3시에 상하이로 출발하는 밀항선이에요.

뉴스로 영앤리치 소식을 떠들어 댄 게 다행이었다.

"아니 그럼 뭐 하고 있어? 빨리 평택으로 가야지!"

—그게, 저…… 업자들이 딜을 해 왔답니다. 이놈 신변을 확보하고 있으면 뭐 해 줄 거냐고…….

"그 새끼가 준 밀항 티켓비의 두 배 준다 그래! 아니, 열 배 준다 그래!"

—여, 열 배요? 우리 진짜 그 돈 줄 수 있습니까?

"어떻게 줄지는 나중에 생각하고 안 되면 협박이라도 해. 해당 밀항에 대해선 아무런 책임을 묻지 않겠다, 근데 일이 잘못되면 네들 가중 처벌 될 거다.

—아…… 예.

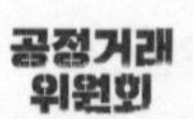

“수다 떨 시간 없다. 너도 당장 평택으로 가! 나도 간다. 가서 연락하자.

전화를 끊은 준철은 잠옷 차림에 파카만 거치고 쏜살같이 달려 나갔다.

⊛

“노 노 코리안. 워 쓰 리 미엔 쓰이.”

늦은 새벽, 평택항.

한적한 시간임에도 불구하고 항구엔 분주한 발걸음이 끊이질 않았다. 이민섭은 어눌한 발음으로 선원 한 명 한 명에게 자신을 소개했다.

“리 미엔 쓰이.”

이는 이제부터 그가 써야 할 이름이었다. 그는 위조 여권을 들고 부지런히 돌아다니며 선원들과 안면을 텄다.

“비린내 나서 원. 김 사장님, 왜 하고많은 배 중에 새우잡이배요. 평택항에 고깃배도 다녀?”

“아따 그리 말하면 섭하제. 이 사장님 모시려고 어렵게 구했는디.”

“됐고. 티켓비 따블로 드릴 테니 딴 배 좀 탑시다. 나 저거 비린내 나서 못 타겠어.”

“이 사장님, 고마 참으소. 밀항하는데 유람선 타실랑가요.

어차피 이틀만 가면 딴 생 사실 텐데.”

김 사장이라 불린 사내는 이민섭에게 눈을 흘겼다.

밀항하는 놈치고 참 불평이 많은 놈이다.

“출발하기 전에 소주 댓병 자셔. 눈 뜨면 상하이에 도착할 것잉께.”

“배 꼬라지 보니 잠이 안 올 것 같습니다. 저거 바다에 뜨기는 해요? 나 가다가 물고기 밥 되는 거 아니야?”

“성능은 문제없수.”

“옌장, 죽어도 딴 배 타라 소리는 안 하네. 그래요, 그럽시다. 뭐, 내 인생에서 이런 배 탈 일이 또 있나.”

“그나저나 이 사장님, 좀 기다려야 쓰것는디.”

“네?”

“예보에 풍랑이 좀 친다 그러더라고. 선장이 한 두어 시간 있다 출발한다는디 괜찮지?”

그 말에 이민섭은 짜증이 솟구쳤다.

“한 시간 지연? 갑자기 그러는 게 어딨어요? 이건 얘기랑 다르잖아.”

“이해 좀 혀. 날씨가 그렇다는디 어째.”

“아, 몰라! 나 그럼 이 배 안 타. 가뜩이나 비린내 때문에 질식하겠구만 시간도 못 맞춰?”

“그람 별수 없구. 일주일 뒤 목포에서 배 한 척 또 뜬다는디 그거 탑시다잉.”

"아니, 잠깐만……. 이럼 나 돈 못 줘요."

"돈은 목포에서 주시구려. 뭐 밀항할 사람이 없나, 배가 없지."

밀항 업자는 전혀 개의치 않은 얼굴이었다. 티켓에 위조 여권까지 도합 2억을 받기로 했는데, 이 돈이 정말 아깝지 않은 걸까?

사실 급한 건 이민섭이었다. 회사 돈을 모조리 다 빼돌리고 배를 타지 않았나. 돈은 안전하게 옮겨 놨으니, 이젠 사람만 빠져나가면 된다.

"그러지 말고 내가 선장 얼굴 좀 봅시다. 재 시간에 출발하면 내가 팁 좀 드릴 수 있는데."

"관둬, 그냥 선장한티 승선자 빼라고 할 테니."

"이거 참, 김 사장님 왜 그러실까. 내가 그냥 해 본 말 가지고. 돈 여기 있습니다. 나 이 배 탈게요."

이러나저러나 하루빨리 한국을 뜨는 게 급선무. 짧은 시간이었지만 한국에서의 수배 생활은 이골이 날 지경이었다.

그렇게 티켓비를 지불한 이민섭은 바로 부모님에게 전화를 걸었다.

"어, 엄마. 나 리 미엔 쓰이, 아니 민섭이야. 응, 이제 배 타려고. 내 걱정은 말고. 아버지 좀 잘 챙기고 있어. 응? 공정위? 그 새끼들 들락거리는 거 신경 쓰지 마. 이거 대포폰이라서 어차피 추적도 안 돼. 아들 군대 한 번 더 갔다 생각하고 맘 편히 있어요. 이쪽 정리되면 나중에 연락할게."

공정위와 경찰이 얼마나 괴롭혀 댄 것인지 어머니의 목소리는 이미 수심 한가득이었다.

지금쯤 회사도 난리가 났을 것이다. 뉴스에서 본바, 해당 사태로 환불 러시가 이어지며 회사가 파산 위기에 처해 있다 하니.

하지만 알 바 아니다, 오늘 이 밀항선이 내 인생의 터닝 포인트가 되어 줄 것이니.

"사장님, 이제 갑시다. 두 시간도 더 지났네."

그러나 그렇게 다시 업자를 찾아갔을 때, 왠지 모를 수상한 분위기가 느껴졌다.

"그것이, 글씨…… 한 한 시간만 더 기다려 달라는디."

"뭐요?"

"미안혀. 여기 모터가 고장 나서 수리 좀 해야 하나 봐."

"아니, 이런 게 어디 있어! 김 사장님, 중도금 받았다고 태도 확 달라지네? 이럼 나 잔금 못 줘요. 1억 안 받으실 거야?"

"내가 면목 없소. 그러지 말고 딱 한 시간만 더……."

그때였다.

영화의 한 장면처럼 갑자기 항구 일대에 플래시가 터졌다. 이와 함께 멀리서 경찰 사이렌이 울리더니, 봉고차 서너 대가 달려오기 시작했다.

"아니, 이게 뭔……."

당황하기도 잠시.

김 사장은 마치 기다렸다는 듯 돈 가방을 두고 냅다 줄행랑을 치기 시작했다. 이와 함께 플래시가 한곳으로 쏠리며, 이민섭을 연극 무대의 주인공처럼 만들어 주었다.

젠장! 이 업자 새끼들한테 당했구나……. 그런 깨달음이 드는 순간 익숙한 남자의 고함이 들려왔다.

-이민섭이! 너 꼼짝 마! 추격전까지 찍으면 20년 때릴 거야!

꼼짝없이 취조실로 붙잡혀 온 이민섭은 망연자실한 얼굴이었다.

인생 2막을 준비하다 다시 나락으로 떨어졌으니 당분간은 식음도 전폐할 것이다.

"리 미엔 쓰이? 이게 네 중국 이름이야? 흐흐."

"……."

"업자들한테 뒤통수 맞으니까 얼얼하지? 영앤리치 가입자들은 그것보다 더할 거야."

밀항을 시도하다 붙잡혔으니 최소한의 배려도 바랄 수 없다. 담당 검사는 바퀴벌레 보듯 쳐다보며 그를 강하게 압박하기 시작했다.

하지만 굳게 닫힌 그의 입은 한 시간째 열리지 않았다.

"야! 너 변호사도 안 불렀잖아. 말 잘하는 놈이 왜 이제 와 묵비권이야? 대답해. 회사 돈 어디다 꿍쳤어? 해외 계좌지!"

지금은 죄를 인정하는지 안 하는지 따위가 중요한 게 아니었다. 빼돌린 회사 돈이 어디에 짱박혀 있는지 알아내는 것이 관건이다.

담당 검사는 협박과 회유, 고향에 계신 부모님까지 들먹이며 입을 열려 애썼지만, 놈은 식사까지 거르며 단 한 번도 입을 떼지 않았다.

취조 과정을 미러룸에서 지켜보던 부장검사가 혀를 찼다.

"의외로 끈질기네. 설마 저 새끼, 출소하고 나서 2회 차 살려고 저러나."

"식사도 거르는 걸 보면 그건 아닌 것 같습니다."

"그럼 뭘까요?"

"아직 현실 자각을 못 하는 거겠죠. 입을 여는 순간 모든 게 다 무너지는 거라 생각하는 겁니다."

"허허, 우리 과장님은 피의자 심리도 잘 아시는군요."

경험담이니까.

"부장님, 그러지 말고 제가 이민섭이 따로 독대 좀 할 수 있을까요?"

"저래 봬도 우리 김 검사가 자백 자판기예요. 저 친구도 못 했는데, 과장님이 독대한다고 될까요?"

"저도 자백 받아 내는 데엔 일가견이 있습니다."

부장검사는 고개를 끄덕이고 취조 검사더러 나오라 시켰다.

그렇게 이민섭과 독대하게 된 준철은 얕은 한숨을 내쉬었다.

"이민섭 씨, 그게 아니지. 묵비권을 계속 쓰면 취조만 길어질 텐데 밥까지 안 먹어서야 되겠어?"

"……."

"뭐 돈 숨기려고 입 다무는 건 아닌 것 같은데, 이제 그만 정신 차립시다. 민섭 씨, 돈 어디다 숨겼어요?"

"……너지?"

놈이 입을 뗀 첫 마디였다.

"네가 진영이 꾀어서 회사 기밀 자료를 가져오라 시켰지! 이 후레자식 새끼! 감히 우릴 이간질시켜? 어디 한번 원 없이 나 조져 봐. 돈? 몰라. 그 돈, 평택항에다 고깃밥으로 줬으니까."

이쯤 했으면 광기다. 돈이 아까워서가 아니라 당한 게 억울해서 돈의 행방을 말하지 않는다.

하긴, 분할 만도 하다. 동업자의 배신만 아니었다면 적당한 처벌에, 적당한 과징금으로 충분히 마무리할 수 있는 일이었으니.

"그러지 말고 좋게 갑시다. 피해자들한테 환불이라도 해줘야 처벌이 가벼워져."

"염병 떨고 앉았네. 허위 세금 계산서, 전자상거래법 위반,

횡령, 야반도주……. 이 혐의들을 다 씌울 거면서 무슨 가벼운 형량?"

"어째 좀 이상하게 들리네. 지금 나랑 처벌 수위를 협상하자는 겁니까?"

"돈 행방을 알고 싶으면 내가 만족할 만한 처벌 수위부터 가져오쇼."

그럼 그렇지. 살짝 틈을 주니, 바로 형량 가지고 협상하려 든다. 미친놈이 아니라 미친 척을 했던 놈이다.

"역시 오랑캐는 오랑캐로 잡아야겠구먼."

준철은 고개를 돌리며 전화기를 들었다.

그렇게 전화가 끊기자 얼마 뒤 취조실 문이 벌컥 열렸다.

"야, 이 개만도 못한 새끼야!"

수인복을 입고 들어온 홍진영은 말릴 틈도 없이 놈에게 달려들었다.

이민섭도 당황했는지 아무 저항도 못 했다.

"추억팔이 다 해 가면서 내 뒤통수를 쳐? 대답해, 이 새끼야! 돈 어디 있어?"

"모, 몰라. 컥컥."

"네가 숨겨 놓고 왜 몰라?"

"다, 다 썼어."

"다 쓰긴, 개뿔! 임 전무가 계좌 확인했어. 나랑 대화 끝나고 바로 옮겼다며? 그 돈 어디 있어!"

"이보세요, 컥컥. 이것 좀 말려 봐요."

준철은 홍진영을 설렁설렁 말렸다.

"진영 씨, 일단 진정하세요."

"빨리 불어! 나라곤 네 새끼 약점 하나 안 쥐고 있는 줄 알아? 너 유령회사 세운 거 니네 아빠 이름이었지? 그거 내가 변호사한테 물어보니 몰수 가능하더라."

"컥컥!"

"너 새끼만 죽일 수 있으면 내가 검찰에 더한 것도 말할 수 있어. 니네 부모랑 너랑 나 다 같이 죽자!"

부모 욕까지 나왔으면 할 말은 다 나왔다.

준철은 홍진영을 더욱 적극 말리며 취조실에서 퇴장시켰다.

눈을 돌리니 이민섭은 완전 넋이 나가 있었다.

하지만 동업자에게 멱살을 잡힌 충격 때문은 아닐 것이다.

그 피해가 자기 부모에게까지 미칠 수 있다 생각하니 정신이 좀 든 거겠지.

한참 생각하던 놈이 갑자기 몸을 낮추고 흐느끼기 시작했다.

"과장님…… 저…… 형량이 어떻게 되나요? 아니, 저…… 진짜 20년 썩는 건가요? 좀만 봐주실 수 없나요?"

드디어 대화할 준비가 됐다. 준철은 종이와 펜을 내밀며 말했다.

"그건 진술 내용 보고."

◎

"그 새끼는 미친놈이에요. 나도 피해자예요."

홍진영은 아직도 여운이 가시지 않는 것인지 계속 씩씩거리고 있었다.

정상참작을 약속받았는데, 놈이 야반도주하며 졸지에 구속까지 당하지 않았나. 물론 가입자들이 이미 이성을 잃은 터이니, 바깥보다 구치소가 더 안전했을 것이다.

"처음 했던 약속은 유효합니다. 본인에겐 큰 화가 미치지 않을 거예요. 참작해서 집유 나올 겁니다."

"그럼 저 구속은……."

"그건 죗값이다 생각하고 좀 감수하세요."

"아니…… 이건 약속과 다르잖아요. 어차피 집유 때리실 거라면 구속도 그냥 풀어 주시죠."

준철이 경멸에 찬 눈빛으로 놈을 훑었다.

"트래픽을 조작한 게 무죄 같습니까? 가입자 수가 많아 보이게끔 실시간 접속자 수를 부풀린 건 무슨 처벌을 받는지 아세요?"

"그, 그건……."

"너무 억울해하지 마세요. 당한 놈이 바보지, 본인도 잘한 거 없어요."

"……예?"

"몰랐어요, 동업자가 하는 짓이 범죄인 거? 거기에 가담한 건 진영 씨예요. 더 이상의 배려는 없습니다."

역시 가는 말이 고우면 오는 말이 지랄맞다. 은근히 협박조로 말하자 놈의 입이 다물렸다.

준철은 홍진영의 풀 죽은 모습에 왠지 모를 씁쓸함이 느껴졌다. 나쁜 일은 함께하다 동업자에겐 배신당하는 시나리오……. 그에겐 너무나 익숙한 장면 아닌가.

"과장님!"

나쁜 생각을 떨쳐 내려 머리를 휘저을 때, 배 팀장이 헐레벌떡 뛰어왔다.

"진짜 과장님은 대단하십니다! 이민섭이가 다 불었어요! 돈은 해외 계좌 세 곳에 묻어놨는데 다행히 20억 모두 안전합니다."

"고생했다. 그럼 액수도 모두 맞는 거지?"

"네."

"그거 빨리 회사 돈으로 귀속시키고 환불 회원 구제비로 써. 그리고 이민섭이가 홍진영 몰래 유령 법인 세워서 꿍쳐 놓은 돈도 많단다. 지 부모 이름으로 했다니까 그것도 뺏을 수 있으면 뺏어 봐."

"안 그래도 지금 검찰에서 조사 들어가고 있답니다. 우리는 딱히 할 게 없어요, 흐흐.”

배 팀장의 얼굴은 더없이 밝았다.

“좋네. 그럼 오늘은 일찍 퇴근할까?”

“넵. 과장님 식사하고 사우나나 가시죠. 저것들 때문에 오늘은 새벽부터 아주 난리였잖아요. 제가 모시겠습니다.”

“그럴까?”

다사다난했지만 그래도 한 사건을 공식적으로 마무리한 날이다. 골치 아픈 서류 정리들은 내일로 미뤄 둬도 되겠지.

그렇게 서울지검을 나오려 할 때, 갑자기 준철의 발걸음이 우뚝 멈춰 섰다.

데스크 중앙에서 나오고 있던 뉴스 속보가 그의 발걸음을 붙잡았다.

-긴급 속보입니다. 한명그룹 최영호 회장이 오늘 새벽 4시경 별세했습니다.

끝판왕 사망
한명그룹
김성균 본부
부고

한명그룹은 6.25때 한명상회로 시작한 회사였다.

당시 부산으로 피란 갔던 최영호 회장은 난민들을 상대로 각종 생필품과 일자리를 알선하며 전란의 위기를 넘겼다.

사실 그에게 위기는 기회였다.

피란지에 세운 작은 구멍가게가 어느새 구호 물품 대행업체로 성장했고, 미군의 공사 사업도 수주받게 되었다.

이때 세운 첫 계열사 한명토건이 현재 한명그룹의 지주회사인 한명건설이었다.

1.4후퇴 이후 전쟁이 소강상태에 빠지자 그는 일생일대의 결단을 하기에 이른다.

전쟁이 끝나면 다음은 재건 사업.

이에 따라 작은 돈 벌어 주던 한명상회를 과감하게 정리했으며, 매각 대금 모두 건설에 재투자해 지금의 한명건설을 키웠다.

결과적으로 그의 결정은 지독히 옳았다.

초고속 경제성장을 등에 업고 한명건설은 급부상했으며, 금융, 보험, 유통 등 수많은 계열사를 거느린 대제국이 되었다. 한국은 한명 공화국이라 해도 과언이 아니다.

–파란만장했던 최영호 회장이 92세를 일기로 별세했습니다. 고인은 지병악화로 지난 수년간 공식석상에 모습을 보이지 않았는데요.

마지막으로 공식석상에 모습을 보인 건 장남 최영석 부회장의 일감 몰아주기 의혹으로, 당시 물밑에서 삼부자 동반 은퇴를 지시한 것으로 알려졌습니다.

–이에 따라 최영석 부회장 등 삼남 모두가 경영 일선에서 물러났지만, 고인의 죽음 이후 복귀설이 제기되고 있습니다.

사실 고인이 작고하기 전까지 지분 정리를 마치지 않아, 승계 쟁탈전이 불가피할 전망입니다.

난세에도 돈을 벌었던 영웅……의 가는 길은 초라하기 그지없었다.

언론은 그가 걸어온 발자취보다 향후 승계 전쟁에 더 관심이 많아 보였다.

그도 그럴 것이 삼 형제 모두 경영 실적이 신통치 않았고, 해마다 비자금 논란에 휩싸였으며, 고인이 후계자도 지정하지 않고 세상을 떠났기 때문이다. 오죽하면 벌써 전문 경영인설이 나돌았다.

불세출의 위인도 자식 농사는 어쩔 수 없는 모양.

그렇게 장례 절차가 결정됐을 때, 최영석 부회장이 처음으로 공식석상에 모습을 드러냈다.

고인의 유지에 따라 가족장으로 진행하겠다고 발표하는 자리였지만, 모인 기자들이나 이를 지켜보는 국민들이나 장례식 따윈 이미 안중에도 없었다.

—그룹 향방에 대해서도 말씀해 주십쇼. 계열사 분리는 합의됐습니까?

—현재 부회장직을 맡고 있지만 지분 상태가 위태로운 걸로 압니다. 한명건설은 누가 맡게 되는지요?

최 회장의 장례식은 좌천됐던 세 아들이 벼르고 있던 날이기도 하다.

향후 그룹 지배권을 두고 각 형제가 싸우는 건 자명한 일이다.

“죄송하지만 현재는 그런 얘길 나눌 단계가 아닌 것 같습니다.”

—투자자들의 우려가 큽니다. 최소한의 청사진은 말씀해 주셔야죠.

—현재 각 형제들이 맡고 있는 계열사가 테마주로 분류되어 폭등락을

거듭하고 있습니다. 시장 안정을 위해서라도 한 말씀해 주십쇼.

무례하지만 반드시 짚고 넘어가야 할 문제였다.

고인의 죽음과 함께 한명그룹 관련주는 투기판이 되어 버렸고, 금감원이 부랴부랴 투자 주의보까지 내렸다.

이는 생전에 후계자 지목과 지분 정리를 끝내지 않은 고인의 책임도 없지 않다.

–개인이 아니라 법인의 대표로서 따로 남기신 유언 없습니까.

기자들이 눈빛을 반짝이며 최영석을 바라봤다.

법인의 대표라는 점을 강조했으니 대답을 마냥 회피할 수 없을 것이다.

하지만 최영석은 속을 알 수 없는 표정을 짓더니 이내 고개를 숙였다.

"평생 불효만 하고 살았습니다. 아버지의 가시는 길만큼은 편안히 보내 드리고 싶습니다. 당분간 경영과 관련된 질문은 삼가 주시길 부탁드립니다."

"임 실장님, 영감님도 이미 가신 마당에 서로 점잔 뺄 거 있습니까. 정말 아버지가 지분 관련한 얘기 남기신 거 없어요? 아니면 해외에 숨겨 둔 계좌라도?"

못다 한 불효를 다 하겠단 말과 달리, 최영석은 이미 머릿

속에 경영권 생각밖에 없었다.

고인의 오랜 친구이자, 가장 많은 시간을 함께했던 임석호 실장은 회장님의 빈자리를 뼈저리게 실감하고 있었다.

아직 발인도 진행되지 않았는데 벌써부터 돈 얘기다. 오행산에 봉인된 손오공이 막 탈출한 것처럼.

아들이라는 놈 얼굴에서 애도라고는 눈 씻고 찾아봐도 없었다.

왜 자신을 후계자로 지목하지 않았는지에 대한 분노뿐이다.

"다시 말하지만 없습니다. 남기신 재산은 이게 전부입니다."

"내 참 영감님 심술하고는. 하늘에서도 아들들 고생하는 꼴이 구경하고 싶으셨나."

"무슨 일 있었습니까?"

"아버지 돌아가시자마자 국세청장한테 연락 왔습니다. 지분 이동 어떻게 할 거냐 물었는데, 실상은 감시하고 있단 소리였수."

회장님의 빈자리가 확실히 크긴 크다.

살아 계실 적엔 잘 좀 부탁드린다고 알랑방귀 뀌던 놈이 슬쩍 말까지 편하게 한다.

이제 곧 자신이 이 그룹의 주인이라 생각하는 모양이다.

굳어진 임 실장의 표정에 아랑곳 않고, 최영석은 아버지의 비밀 자료를 휘적거렸다.

"아이고- 내 이럴 줄 알았다. 아버지한테 왜 돈이 없나 했더니 무슨 장학재단을 세웠구먼. 얼굴도 모르는 대학생들한테 장학금 줘서 뭐 해. 머리 크면 다 재벌들 나쁜 놈이라고 떠들고 다닐 텐데."

"부회장님."

"그냥 답답해서 해 본 소립니다. 그렇게 사회 환원 많이 해 봤자 남는 게 뭐냐고요. 나 지금 이 상속세 감당하려면 신용대출에 캐피탈까지 끌어다 써야 할 판입니다."

상속세 핑계를 대긴 했지만 최영석이 짜증 난 이유는 따로 있었다.

장남으로서 후계자로 지목되지 못했다는 수치심, 그리고 이에 대한 원망.

최영석은 건설 부회장을 맡게 되며 자신을 그룹 후계자라 생각하고 있었지만 아버지는 끝내 대답 없이 죽었다.

덕분에 아버지가 들고 있던 건설주는 삼 형제가 공평하게 나눠 가지게 되었다.

이는 곧 승계 전쟁의 다른 말이기도 하다.

"뭐야, 큰형. 형이 왜 아버지 집무실에 와 있어?"

"이 서류는 뭐야, 형 아버지 자료 손댔어?"

말없이 짜증을 달래고 있을 때, 이 짜증을 더욱 불 지펴 줄 두 동생들이 등장했다.

"꼴값한다. 언론에다 대곤 못다 한 효도 다 하겠다며."

"그런 사람이 아버지 장례도 안 들어갔는데 집무실에 와 있어? 왜? 미리미리 재산 한 푼이라도 더 빼놓으려 하셨나."

최영석은 동생들을 시큰둥하게 바라봤다.

"그러는 네들은 왜 왔냐. 그것도 사이좋게 손잡고."

"같은 취급하지 마. 임 실장님 어디 계시나 묻고 찾아온 거니까."

"임 실장님은 왜 찾았는데?"

"그건……."

두 형제의 얼굴이 붉어졌다. 두 사람의 목적도 크게 다르지 않았다.

"아니, 뭘 잘했다고 우릴 추궁이야."

"꼴값 떨지 마. 내가 먼저 왔다 뿐 네들이나 나나 똑같아. 아버지 숨은 비자금 찾으러 왔지?"

최영석은 서류를 허공에 던졌다.

"지금 이게 뭐 하는 짓이야?"

"백날 찾아봐라. 영감님 개털이더라."

"뭐?"

"비영리 재단 여러 개 세워서 애새끼들 장학금이나 퍼 주셨다고. 쯧쯧– 누가 소학교 출신 아니랄까 봐. 그렇게 배우고 싶으면 검정고시를 배우지, 원."

두 형제는 누가 먼저랄 것도 없이 바닥에 흩뿌려진 자료를 들었다.

하지만 형의 말대로 숨은 재산은 눈 씻고 찾아봐도 없었다.

"이, 이건 말이 안 돼."

"큰형, 혹시 우리 몰래 작당한 거 아니야? 우리한테 허튼 수작 부리는 거면 그만둬."

여전히 번지수를 못 찾는 동생들이 한심스러웠다.

"기석아. 내가 어느 안전이라고 거짓을 고하겠냐. 수틀리면 제 형제도 공정위에 팔아먹는 놈한테? 덕분에 예금처럼 부어 온 내 해외 비자금 싹 다 털렸다."

"그, 그건……."

"됐다. 어차피 지난 일 더 하려고 온 거 아니니까. 대신 내가 형으로서 두 동생들에게 부탁 좀 하자."

최영석은 목소리를 낮추고 말했다.

"안팎에서 우릴 보는 눈이 곱지 않아. 아버지 돌아가시자마자 벌써 국세청장과 검찰 금조부에서 연락이 왔다. 주시하고 있으니까 몸조심하란 얘기겠지."

"하고 싶은 말이 뭐야?"

"계열사 분리 조용하게 진행하자. 어차피 아버지가 대충 어떻게 선 그었는지 알잖아. 서로 거 탐내지만 않으면 우리도 안전하다."

나머지 두 형제들 모두 바라는 바다. 하지만 여기엔 어폐

가 있었다.

"그래? 그럼 한명그룹 주력 계열사인 건설은 누가 맡고?"

"다 필요 없고 건설이야말로 핵심이지. 각 계열사 지분을 가장 많이 들고 있는 게 건설인데."

역시나 셈 하나는 확실한 동생들이다.

"그래, 그게 중요하지. 근데 냉정하게 생각하자. 가장 적격인 놈이 맡아야지 않겠냐."

"무슨 뜻이야."

"나 건설 부회장으로 재직하면서 실적 나쁘지 않았어. 믿고 맡겨. 건설이 쥐고 있는 네들 계열사 주식은 내가 다 돌려줄게."

최기석은 같잖다는 듯 크게 웃었다.

"푸하하. 돌려줘? 누가 들으면 임금님이 하사품 내리는 줄 알겠네."

"기석아."

"그럴 거면 나한테 맡겨. 형이 가진 계열사 지분 내가 정리해서 돌려줄게. 그리고 형이 건설 실적 좋은 건 회사가 성장해서가 아니라 하청 쥐어짜서 영업이익만 높인 거잖아. 그런 경영은 나도 잘해."

"나도 작은 형 말에 동의. 그냥 법대로 가. 아버지가 지분 정리 안 했으니 건설 주식은 공평하게 삼 등분으로 나눠."

"만약 건설 부문을 독식하고 싶으면 형이 다른 계열사 몇

개를 더 줘야지. 그게 계산에 맞아."

주식 한 장, 아니 10원 한 장도 양보하지 않겠단 동생들의 뜻을 확인했다.

"기어코 끝장을 봐야 성미가 풀리는구나. 그래, 그럼 한번 끝까지 가 보자."

최영석은 나가다 말고 뒤를 돌아봤다.

"그래도 보는 눈이 있는데 아버지 장례식장에서 피 터지게 싸우는 꼴은 싫지? 사흘만, 딱 사흘만 효도하자."

살아 계실 때 제대로 된 효도 한번 한 적 없는 이들이다.

두 동생들도 이 말만큼은 형의 말에 동의했다.

[역사의 산증인, 불굴의 기업가]

[최영호 정신, 21세기 한국]

비록 자식 농사엔 실패했지만 최영호 회장은 사회에 많은 족적을 남겼다. 그의 마지막 길엔 각계 인사들이 자리에 참석해 고인의 영면을 기원했다. 주가 폭등락 기사만 늘어놓던 언론사들도 장례식 때만큼은 애도를 표했다.

이렇듯 온 국민이 진심으로 애도했지만, 정작 상주(喪主)들은 정계 거물들에게 눈도장 찍느라 바빴다.

막대한 상속세와 추후 지배 구조.

모두 정관계 인사들의 협조 없인 이뤄질 수 없는 일들이다.

이들은 기회가 될 때마다 고위직 관료들에게 인사했고, 자신이 한명그룹 후계자임을 자처했다.

최영석은 다행히도 그룹의 장남이었기에 더 많은 정관계 인사들을 만날 수 있었다.

하지만 그중에는 예기치 못한 불청객도 있었다.

"아니, 넌……?"

"자넨 이름이 뭔가?"

"예, 영업지원부 김성균 대리입니다."

"이번 비용 절감 프로젝트를 자네가 제안했다고? 불필요한 하청사도 다 잡아내고."

"아닙니다. 차명석 사장이 일선에서 진두지휘한 프로젝트입니다. 전 옆에서 서류 복사만 부지런히 했습니다."

"하하. 차명석이도 그러더만, 다 자기가 했대. 근데 내가 아는 차명석이는 그럴 만한 그릇이 아니야."

말단 사원이 그룹 회장님과 독대할 수 있는 기회가 얼마나 될까.

내 경우엔 그런 기적이 입사 5년 차에 일어났다.

당시 한명중공업에 빨대를 꽂은 하청들이 적발됐고, 이를 정리해 무려 50억대 절감 효과를 얻게 된 것이다.

그때 그 하청들은 갑질이 아닌, 정말 문제 있는 회사들이었다. 도대체 왜 상부에서 이걸 지금까지 몰랐나 싶을 정도로.

상당히 민감한 문제였기에, 내 비용 절감안은 번번이 묵살당했다. 하지만 집요한 보고서 제출에 결국 상부를 설득했고 결과는 내 예상대로 불필요한 하청사로 판명 났다.

"몇 가지 좀 물어보고 싶은데, 괜찮나?"

"물론입니다."

처음 만난 최영호 회장은 생각보다 인자한 인상이었으며, 아랫사람에게 무례하지 않은 사람이었다.

하지만 최 회장은 그 뒤 한참이나 무언가를 묻더니 혀를 찼다.

"에잉- 쯧쯧. 물불 안 가리는 새내기라 해서 기대했더니 영 싱겁구먼. 아니, 처세가 좋은 건가."

"……예?"

"뭐만 하면 다 차 사장이 잘했다, 김 부장이 잘했다, 이 과장이 잘했다……. 난 오늘 그런 시시껄렁한 공치사나 듣자고 부른 게 아니야. 차명석이는 자네보다 내가 더 잘 알아. 주어진 일은 확실하게 처리하는데, 그 외적인 일은 전혀 무관심하지."

인자한 인상이 급격히 돌변했다. 거기엔 아무런 반박도 할 수 없었다.

내가 내린 차 사장에 대한 평가와 회장님의 평가가 정확히 일치했기 때문에.

"그치도 원래 그러진 않았어. 나랑 고속도로 뚫을 땐 잠도 안 자고 일했거든. 늙은 게지. 더 이상 몸이 따라 주지 않고, 편한 일만 찾아. 근데 안타까운 건 그놈의 욕심은 안 늙어."

"……."

"젊은 사람들은 좀 어찌 생각하나 하고 불렀더니, 영 숙맥이구먼."

"죄송합니다, 회장님. 제가 만족스런 대답을 못 드려서……."

"아니, 자네는 내가 원하는 답이 뭔지 알면서도 일부러 대답을 안 하는 것 같아. 그만하세. 자네의 역량이 그 정도란 뜻일 테니."

아직도 최 회장의 한숨을 잊을 수 없다. 달아올랐던 흥미가 팍 식어 버리는 얼굴.

그 얼굴에서 죄책감마저 느껴졌다.

"이만 나가 봐. 인사팀에 내 직접 언질을 줬다. 상여는 섭섭지 않을 거야."

"감사합니다. 그럼 이만."

그렇게 나가려던 찰나.

발걸음을 멈춘 내가 슬쩍 뒤로 돌았다.

그게 내 인생의 전환점이었다.

"회장님 저 한 말씀만 드려도 되겠습니까."

"응?"

"대신 제가 지금부터 드리는 말씀은 한 귀로 듣고 흘려 주셨음 합니다."

"그건 들어 보고 결정하지. 뭐지?"

"저도 이 프로젝트 진행하면서 왜 상부가 이걸 오랫동안 방관했을까 싶었습니다. 사실 이는 비용 절감도 아니라, 그간 과대 계산된 비용을 이제 정상화하는 거죠. 저희 한명중공업 마진 5%. 타사 대비 현저히 낮은 마진입니다."

"그럼 왜 차 사장은 이걸 오랫동안 방관하고 있었을까? 임원들은 왜 말단 대리도 알 만한 내용을 파악하지 못했던 것이고."

놀라운 일이었다.

나에게 흥미가 떨어져 있던 최 회장이 껄껄 웃었다. 뭔가 가려운 부분을 긁어 준 걸까?

"저는 잘 알지 못합니다. 사업 선정은 전부 차명석 사장이 맡고 있는 부분이라……."

"그냥 말해. 자네도 차 사장 의심스럽지? 누가 봐도 불필요한 외주 사업인데 지금까지 문제 삼지 않았잖아? 혹시 차 사장이 친인척 명의로 세운 비자금 창구 아닐까, 이런 생각

들지 않았어?"

회장님의 질문이 내 허를 찔렀다.

사실 그랬다. 너무나 당연한 문제를 상부에 보고했는데 묵살되었고, 그것이 꽤 성공적인 비용 절감으로 이어졌는데 오히려 눈칫밥만 받게 되었다.

하지만 고민이 든다. 이걸 과연 밀고하는 게 옳은 걸까.

"대답해 봐. 아닌가?"

여러 고민이 들었다. 지금부터 하는 말은 내 임원들을 고발하는 일이었기에.

하지만 기대도 들었다. 인생에 이런 기회가 또 올 수 있을까.

나는 눈을 질끈 감고 말했다.

"솔직히 의심스럽습니다. 현재 정리된 불필요한 하청사들 보면 간판만 빌려주고 막대한 외주 사업비를 챙겨 갔습니다. 임원들이 왜 이런 일을 묵인했는지 모르겠습니다. 이번 사태 해결 과정 또한 그렇습니다. 평소 비용 절감안 가져가면 쌍수 들고 환영하는 임원들이, 어쩐지 이 사건에서 만큼은 시큰둥했습니다. 프로젝트는 끝났지만 아직도 저를 미워하고 있다는 게 느껴집니다."

속사포처럼 말이 끝났을 때, 갑자기 분위기가 조용해졌다.

최 회장 입가엔 미소가 떠올랐지만 아까와 같은 호탕한 웃음은 더 이상 없었다.

"고마우이. 이 늙은이 가려운 분 긁어 줘서."

"예?"

"차명석이가 최근에 수상해졌거든. 감사팀에서 여러 번 보고가 올라왔는데 내가 묵살했어. 그놈을 미더워서가 아니라, 그놈을 사장 자리에 앉힌 내 안목의 실패를 인정할 수 없었던 거야."

"……."

"그래도 창업 멤버라고, 회삿돈 적당히 용돈 챙겨가는 건 묵인했는데 결국 이 사달이 나는군."

"혹시 제가 한 말을……."

"비밀? 그런 게 존재하겠나? 하하. 자네랑 나랑 독대했다는 건 이제 회사 경리까지 다 알걸세. 그리고 난 오늘부로 중공업에 감사과 투입할 거야. 기든 아니든 자네는 어쩔 수 없이 상사 팔아먹은 놈이 될 걸세."

참 이상한 일이었다. 회사에서 잘릴 수도 있단 얘기였는데, 이상하리만치 나는 담담했다.

"그렇군요."

"그렇군요? 그게 끝인가?"

"이미 낙인 찍혔습니다. 제 역량 밖이죠. 그래도 회장님이 만족할 만한 대답이었다면 그것만으로도 영광입니다."

그렇게 다시 인사를 올리고 나갈 때, 최 회장의 음성이 들렸다.

"자네. 혹시 물산 계열사로 갈 생각 없나?"

물산? 한명그룹에 물산 계열사가 있던가?

"아직은 없지만 곧 인수할 거거든. 내 장남인 최 이사가 물산 사장으로 영전될 거야. 어때? 한명건설 대리면, 물산 부장 정도로 생각하는데."

가라는 뜻이다.

"근데 제가 사실 물산은 몰라서……."

"그까짓 거 몰라도 돼. 자넨 감사과 부장으로 영전할 테니까. 지금처럼 누가 회사 돈 뒤로 처먹고 있는지만 감시하면 돼."

"……."

"이건 제안이자 부탁일세. 자네 인사 평가서를 쭉 지켜봤는데 마음에 들더군. 만약 일 잘하면 그땐 한명건설 부장으로 다시 부르지. 한번 일해 보겠나?"

그것이 내 인생의 두 번째 기회였고, 나는 그 기회를 잡았다.

하지만 나는 회장님의 약속과 달리 한명건설 부장으로 돌아오지 못했다.

그것을 인연으로 부회장의 신임을 단단히 얻었고 나는 그를 따라 한명그룹 전 계열사를 돌며 몸종이 되었다.

내가 다시 한명건설로 돌아왔을 땐…….

"축하드립니다. 김성균 이사님."

한명건설의 핵심 주축인 임원이 되어 있었다.

◎

몇 번이나 고민했다.

내가 이 자리에 와야 하는지 말아야 하는지.

하지만 생각을 한쪽으로 정리했다. 어찌 됐건 내게는 인생의 기회를 준 사람 아닌가. 내 나름대로라도 그와의 인연을 정리해야 할 것 같았다.

예를 담아 영전 사진 앞에 고개를 숙였고, 국화를 얹었다. 하지만 최영석과 그 형제들은 살기 가득한 얼굴로 날 노려볼 뿐이었다.

보는 눈이 없었다면 뺨이라도 쳤을 기세였다.

"이 팀장님……. 아니, 과장님으로 승진했다죠? 아무튼 어려운 걸음해 주셔서 감사합니다. 잠시 따로 뵐 수 있을까요."

지켜보는 눈이 많아서일까?

최영석이 한껏 예를 차리며 나를 안내했다.

"간댕이가 부은 건가, 아님 누구 염장 지르러 왔나. 여기가 어디라고 기어 와?"

하지만 보는 눈이 사라지자 이내 그 본성을 드러냈다.

"아버지 장례식엔 왜 왔어? 우리 영감님은 네놈 때문에 와병 중에도 맘 고생하셨어. 살아 있을 때도 괴롭히더니. 이젠

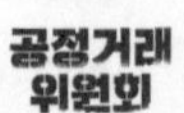

죽어서도 괴롭혀?"

"가장 많이 괴롭힌 건 본인 아니에요? 회장님 일평생 걱정이 자식 걱정이었는데."

"뭐. 뭐야?"

"그만합시다. 상주 자극하려고 조문 온 거 아니니까. 회장님과 내 개인적인 친분 정리하려 왔어요."

최영석은 기가 찬지 크게 웃음을 터트렸다.

"인연? 하하. 고작해 봐야 행시 붙은 5급 나부랭이가 재벌총수하고 무슨 인연?"

"쯧쯧……. 그 나이면 체신머리 챙길 때도 될 텐데."

"뭐야?"

"이제 곧 형제들하고 박 터지게 싸울 거 아니요. 앞으로 카메라 많이 받을 겁니다. 이젠 자나 깨나 말조심하쇼."

지금 한국에서 가장 큰 관심거리는 장례식 이후의 한명그룹 주가다.

벌써부터 각 부회장들에 따라 테마주가 요동치고 있었다.

"오호라. 지분 싸움 날 것 같으니까 미리 와서 선수 친 거야?"

생각보다 표정이 밝았다.

아무래도 자신과 엮인 테마주 반등에 자신감이 한껏 고무된 모양이었다. 삼 형제 중에서 가장 월등한 반등을 보이고 있었으니.

이쯤에서 놈의 속을 한번 긁었다.

"원망되시죠? 영감님이 지분 정리하고 가면 얼마나 좋았을까……. 그렇게 생각할 것 같은데."

하지만 의외의 반응이 돌아왔다.

"안 그래도 고민이야. 이 미친 동생들이 건설 회장 자리를 호시탐탐 노리고 있잖아. 이럴 때 좋은 책사가 옆에서 조언을 해 줘야 하는데……. 내 주변엔 그런 브레인이 없어."

여유까지 보이며 웃는다. 이미 김성균이란 존재는 머릿속에서 잊힌 지 오래겠지?

"해서 말인데 어때? 우리 이 과장도 생각 있으면 들어와. 앞으로 승계 작업하려면 크고 작은 합병 많이 해야 할 텐데, 나한텐 브레인이 필요해."

한명그룹은 법조계 전관보다 공정위 전관들에게 돈을 더 쓰는 족속들이다.

특히나 기업 합병 심사를 준비할 땐 공정위 전관들을 거의 대통령처럼 모신다.

"이래 봬도 또 내 경영 철학이 인재 경영이야. 사람 귀한 줄은 알지. 우리 이 과장 정도면 내가 백지수표 줄 수 있는데."

"몸값이 얼마나 되는데요?"

그럼 그렇지 돈 앞에 장사 없다. 고고한 척하지만 이놈도 별수 없는 공무원이다.

슬쩍 던져 본 떡밥에 묵직한 월척이 걸리자 얼굴이 편안해

졌다.

"말 그대로 백지수표. 계약금 10억은 선불로 줄 거야. 어때? 국내 최고 기업의 최연소 임원. 꽉 막힌 공무원 생활보다 더 근사하지 않겠어?"

입만 열면 거짓말만 튀어나오는 놈이지만 이 말만큼은 사실이다.

한명그룹은 한국에서 가장 많은 사외 이사를 거느리고 있으며, 몸값도 타기업보다 높다.

여느 기업이 그렇듯 이 사외이사들은 숨만 쉬는 게 일이다. 아니, 숨만 쉬어 주는 게 일이다.

이들의 진짜 역할은 그룹에서 지저분한 일을 처리할 때 문제 삼지 않는 것이기 때문이다.

그래서 그룹은 자신에게 적대적인 관료들을 사활 걸고 포섭해 버린다.

"한명그룹 많이 죽었네. 고작 과장급한테 백지수표라니?"

"그만큼 내가 자네 생각한다는 거야. 우리 이 과장은 국장급으로 모셔드려야지."

대화가 잘 풀리는 것 같자 최영석의 호칭도 어느새 편해졌다.

하긴 웬만한 국장급보다 더 크게 괴롭히긴 했지. 고작 사무관 하나가 총수 일가 세 명을 좌천까지 시켰으니.

게다가 이제는 권한도 더 많아진 서기관이다. 더 크기 전에 싹을 잘라 내고 싶을 것이다.

“참고로 내 백지수표는 딱 여기까지만 유효해. 자네가 국장, 위원장 이상으로 가면 나도 관심 없어.”

“그건 무슨 셈법입니까? 자리가 높아지면 몸값도 더 높게 받아야지?”

“내 경험상 너 같은 놈이 고위직 가는 건 못 봤거든. 꽉 막힌 공직 사회가 너처럼 튀는 놈을 언제까지 받아 줄까?”

아버지의 죽음 이후 한층 더 성숙해진 걸까. 이젠 제법 고개가 끄덕여지는 소리도 할 줄 안다.

“그러니까 내가 주는 동아줄 받아.”

“나한테 그런 파격적인 제안을 하는 이유는?”

“이상하게 들리겠지만 자넬 보면 자꾸 기시감이 느껴져. 뭐랄까……. 내 밑에서 컸더라면 진짜 크게 썼을 것 같달까.”

“헛소리 말고 내 역할이 뭔데. 당신이 하는 일에 딴지만 안 걸어 주면 돼?”

“흐흐. 성질머리 만큼이나 입도 고약하군. 더 맘에 들어.”

기분 나쁜 소릴 내뱉어도 놈의 얼굴엔 웃음이 만연했다. 무섭도록 소름 끼쳤다.

“사외 이사는 숨만 쉬어 주는 게 일이지. 근데 젊은 나이잖아? 하고 싶은 모든 걸 해. 우리 감사과로 들어와서 군기반장 해도 되고. 기업 인수합병 때 해결사를 해도 되고.”

“듣고 보니 흥미가 좀 생기네. 내 체질에 맞겠어.”

여지를 남기자 최영석의 눈이 함지박만 하게 커졌다.

슬쩍 긁어 봤는데 너무나 큰 월척이 걸리지 않았나. 어쩌면 이놈이 아버지의 빈소를 찾은 것도, 이런 목적이지 않았을까 하는 의심이 들었다. 그게 아니면 만나 본 적도 없는 아버지와의 인연 팔이를 하지 않았겠지.

"그럼 다시 본론으로 돌아가서. 얼마면 내가 이 과장님을 모실 수 있을까?"

최영석이 비릿한 웃음을 흘릴 때, 준철이 손가락 다섯 개를 폈다.

"하하. 역시 공무원이라서 담이 작은가. 어디 5억 가지고 아파트나 한 채 살 수 있겠어?"

준철은 고개를 저었다.

"15억이라. 이제 겨우 서울 아파트 정도군. 좋아, 그 정도면 내가 이 과장님 사지."

"……."

"25억? ……좀 센데?"

"……."

"35억……?"

"앞자리가 틀렸어."

최영석은 책상을 내려쳤다.

"하여간 공무원 놈들은 돈 개념이 없어. 아무리 내가 아쉬운 처지긴 해도 고작 과장 놈한테 50억이나 쓸 것 같아?!"

"500억이었는데."

"뭐?"

"보아하니 형제들끼리 치고받으면서 온갖 똥물이 다 나오겠구먼. 그거 다 눈감아 달라고 나 포섭하는 거 아니야?"

"……."

"그 사건들 다 합하면 최소 과징금 500억은 넘을 거 아니야. 그럼 이 돈도 싼 거잖아. 싫으면 됐고. 정직하게 그 돈 다 과징금으로 냅시다."

"잠깐!"

그렇게 자리를 벗어나려 할 때, 노기 어린 목소리가 들렸다.

"만약에…… 내가 그 500억 챙겨 주면, 나한테 그 이상의 보답해 줄 수 있나?"

흔들리는 목소리와 비장한 얼굴은 그가 진심임을 말해 주고 있었다.

기분이 참 오묘했다.

버림받은 놈한테 다시 쓰임을 제안 받다니. 그것도 웬만한 놈들은 꿈도 못 꿀 금액으로.

"그리 말하는 걸 보니 더러운 일을 퍽 많이 했나 보군."

"묻는 말에나 대답해. 나한테 그 이상의 보답해 줄 수 있나."

"이미 흥미 식었어. 난 부랄 작은 놈 밑에선 일 못 해. 그리고 의리 없는 놈하곤 일 안 해."

"……의리?"

더 이상의 대화는 의미 없다.

어차피 이해도, 알아들을 수도 없는 말일 테고.

"최영석 씨, 내가 그래도 옛정이 있어서 한마디합니다. 조세 피난처에 세운 유령 회사 세 곳, 함부로 움직이지 않는 게 좋을 거야. 상속세랑 우호 지분 확보하려면 돈 많이 들겠지만, 그건 급하다고 바닷물 마시는 격이야. 그 돈 움직이면 오히려 지금까지 회삿돈 주기적으로 횡령한 게 걸릴걸."

최영석은 얼굴이 불그락푸르락 달아올랐다.

하지만 준철의 입에서 유력 정치인 몇몇이 거론되자 이내 사색이 됐다.

"그 사람들도 동아줄로 사용하지 마. 이미 현직에 있을 때 한명그룹 비리 못 본 척하며 떡값 이상은 했어."

"너, 너 대체……."

"김형석 총장, 이현민 대법관, 송석호 고검장 같은 사람들한테도 연락하지 마. 은퇴한 지 수년이 지났는데 법조계에 끗발이 먹히겠어?"

"너 대체 뭐야!"

고함이 터져 나올 수밖에 없었다.

거론된 이름들 모두 이번 상속 전쟁을 위해 키워 온 최정예 병사들이었기 때문이다. 이건 내부자, 아니 자신의 최측근 사람들도 모르는 얘기다.

“누구야, 기석이야? 그 새끼가 이번에도 나 찔렀어? 아니, 만석이야? 그 새끼가 나 밀고했어?”

“출처 묻지 말고 그냥 내 얘기 새겨들어. 당신 상속 시나리오는 우리가 이미 꿰고 있어. 그 방법은 안 하는 게 좋을걸.”

“입 닥쳐! 어떻게 알았어! 동생들? 아니지 이건 내 최측근들이겠지. 혹시 전직 임원들이 나 팔았나? 누구지?”

준철은 잠시 고민하다 말을 이었다.

“김성균.”

길길이 날뛰던 놈이 그대로 굳어 버렸다.

준철도 더 이상 아무 말 하지 않았다. 놈의 반응을 보니 그 죽음에 대한 의문이 모두 해결되었다. 역시나 배후는 부회장이었구나. 누구보다 맹렬하게 충성했던…….

익히 알고는 있었지만 그걸 눈으로 확인하는 건 또 다른 기분이다.

“오늘은 정말 이런 말 하려고 온 게 아닌데…….”

“…….”

“모쪼록 삼가 고인의 명복을 빕니다.”

혼자 남게 된 최영석은 한동안 몸을 움직일 수 없었다.

너무나 하찮아서 이제는 얼굴도 기억나지 않는, 더 이상 필요 없어 헌신짝처럼 내버린 오랜 친구의 이름이었다.

◎

최영호 회장의 운구 행렬은 한명건설의 사옥을 지나 수원 선산까지 이어졌다. 운구 행렬엔 전 직원들이 자발적으로 나와 애도를 표했고, 고인의 생전 유지를 기렸다. 초고도 경제성장의 주역이자 대한민국 전 곳에서 활약했던 거장이 이젠 흙으로 돌아간 것이다.

하지만 정작 가장 슬퍼해야 할 세 아들들은 복잡한 얼굴로 안장식을 지켰다.

아버지의 죽음의 그룹의 세대교체를 의미하며, 이 왕좌를 차지할 사람은 한 사람뿐이다.

"부회장님, 너무 염려 마십쇼. 놈이 뭘 알고 한 말 같지는 않습니다. 재벌들 상속세 낼 때 비자금으로 내는 거 모를 사람이 어디 있습니까. 법조계, 국회의원 이름도 이미 다 지저분한 추문으로 입방아에 오른 놈들뿐입니다."

"그럼 김성균은? 그 이름이 어떻게 거기서 나오지?"

"본부장 죽음과 관련해서는 그때도 뒷말이 많았습니다. 괜히 부회장님 흔들어 보려고 찔러 본 거겠죠."

김 비서의 말에 조금 수긍이 가긴 했지만 찝찝함이 가시지 않았다.

"김 비서, 내 혹시나 해서 하는 말인데……."

"전혀 아닙니다. 본부장 죽음과 관련한 일은 저와 부회장님 말곤 아무도 모릅니다."

"그래도 만약이라는 게 있잖아. 혹시 일 처리한 놈들 중에서……."

"그놈들은 그 차에 누가 타는지도 모릅니다. 절대로 외부에 누설되지 않았습니다."

심란해하는 부회장을 보며 김 비서가 서둘러 주제를 돌렸다.

"그리고 본부장이 죽은 지가 몇 년인데요. 이건 필시 최근에 일했던 임직원들 소행입니다."

"옛말 그른 거 하나 없군. 머리 검은 것들은 거두지 말라더니. 혹시 의심 가는 인물 있나?"

"최기석 상무의 소행이 아닐까 싶습니다."

"기석이? 둘째? 그놈은 내 최측근 아니잖아. 내 상속 시나리오 절대 몰라."

"다리를 두 번 거쳤다는 겁니다. 최 상무가 우리 쪽 사람들에 접근했고, 그 비밀을 공정위에 찌른 것 같습니다."

설득력 있는 얘기였다.

아버지가 후계자를 명확하게 정하지 않으며, 임원들도 한동안은 줄잡기에 여념이 없었다. 그중엔 이쪽 사람이었다가 저쪽 사람이 된 경우도 있었고 그 반대인 경우도 있었다.

"사실 우리 상속 시나리오는 이미 많이 노출되어 있었습니다. 고위 관료, 정치인들 만나는 건 다 임원들이 담당했으니. 반대로 저희도 최 상무 상속 시나리오를 알고 있지 않습니까."

지금 가장 걸리적거리는 건 둘째다.

금융 부분을 맡고 있는 놈은 경영 실적도 나쁘지 않았고, 업계 특성상 재계에 발이 넓은 편이었다. 이번 테마주 사태 때 급등을 보인 걸 보면 주주들의 기대도 큰 모양이다.

"솔직히 지금은 위로 올라가기보단 밑으로 끌어내리는 데 더 주력해야 합니다."

"지금 나더러 기석이를 공격하라는 거야?"

"마뜩지 않으시겠지만 과감할 땐 과감해야죠."

최영석은 손사래 쳤다.

"아서. 지금 상황에서 그놈 찌르면 누가 봐도 내 소행이야."

"먼저 시작한 건 그쪽입니다. 잊으셨습니까. 최 상무가 누굴 팔아먹었는지."

"아무리 그래도……."

"아닌 말로 우린 지금 속 편합니다. 이미 지난 일감 몰아주기 사태 때 샤워 한번 했고, 대중의 머릿속에서 많이 잊혔어요. 그럼 최 상무도 샤워 한번 해야죠."

최영석은 은혜는 잊어도 원한은 잊지 않는 사람이었다.

비자금 사태 때 자신을 팔아먹은 동생을 생각하면 이가 갈린다.

김 비서는 최영석을 더욱 부추겼다.

"얘길 들어 보니 최 상무는 벌써 사장 취임을 준비한답니다."

"그거야 원래 예정된 일이었잖아. 나랑 그때 동반 은퇴 당하면서 무산된 거고."

"제 눈엔 출사표로 보입니다. 주변 얘기 들어 보면 노골적으로 야심을 드러내고 있다더군요."

위험한 놈이다.

싹을 잘라 내지 않으면 필시 화를 불러일으킬 것이다.

"솔직히 지금 최 상무의 인기가 높은 것도 똥물 한 방울 튀기지 않았으니 저러는 겁니다. 민감한 사건 몇 개 터트리면, 최 상무의 추악한 이면이 다 드러날 겁니다."

최영석은 팔짱을 끼더니 나직이 되뇌었다.

"그래. 당한 건 갚아 줘야겠지?"

"네. 당한 만큼만이라도요."

"하지만 나 혼자 움직이기엔 부담이 너무 커."

"그럼 제가……."

"아니, 만석이까지 끌어들여 보고."

"최 이사 말씀이십니까?"

최만석은 한명그룹의 삼남.

어렸을 때부터 각종 추문에 시달렸고, 경영 실적도 시원치 않아 후계 구도에서 가장 멀다고 평가를 받는 동생이었다.

"나 혼자 움직이면 무조건 독박이야. 백지장도 맞들면 가볍다는데 당연히 조력자가 많아야지."

막내 동생은 이미 경영권에서 멀었지만 놈에겐 아주 중요한 무기가 있다. 바로 지분.

셋째의 지분만 우호 지분으로 끌어들이면 둘째를 몰아내는 건 일도 아니었다.

"김 비서, 일단 만석이랑 약속 잡아 봐. 내가 해결하지."

끝판왕 사망

한명그룹
김성균 본부

청탁이냐 제보냐

불 다 꺼진 HM호텔 중식당.

삼남 최만석이 현재 대표 이사를 맡고 있는 곳이기도 하다.

최만석은 급하게 약속 잡은 큰형을 못마땅한 눈치로 훑어봤다.

"이렇게 만나는 건 지금 좀 위험한 거 아니야?"

"하하. 큰형이 막냇동생한테 술 한잔 사겠다는 게 뭐가 위험하냐."

"이게 진짜 단순한 술자리라고?"

최만석은 큰형을 한껏 경계하고 있었다.

"그룹 지배 구조 얘기라면 그만둬. 어차피 나야 건설 경영권 관심도 없어. 난 아버지가 남기신 현금성 자산만 최대한 많이 챙기면 그만이야."

"넌 없다는 얘긴, 다른 누군가는 있다는 얘긴가?"

"알면서 뭘 물어. 둘째 형은 호시탐탐 노리고 있잖아."

"그럼 나도 속 시원하게 묻자. 건설 지분 삼등분되면 너에게도 많은 지분이 갈 거야. 나랑 기석이랑 싸우면 넌 누구 편에 붙을 거지?"

단순한 술자리란 말이 무색할 만큼 본론이 먼저 튀어나왔다.

막냇동생은 혀를 끌끌 찼다.

"내 참. 둘 다 똑같구먼. 그 얘길 자꾸 왜 나한테 물어보는 거야."

"둘 다 똑같아? 그럼 기석이도 너한테 이런 제안한 적 있다는 거야?"

"왜 아니겠어. 장례 끝나자마자 생전 안 하던 전화를 다 하고 선물 보내 주던데."

김 비서의 말이 맞았다. 둘째는 순순히 건설 경영권을 양보할 생각이 없다.

한발 늦었다는 사실에 얼굴이 굳는 최영석이었다.

"그래서 넌? 뭐라 대답했지?"

"내 대답은 똑같아. 이긴 사람 편, 그리고 나한테 더 많이 챙겨 주는 사람 편."

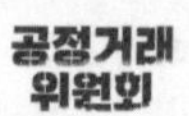

"네가 국민연금이냐? 무조건 이긴 놈 편들게."

"그게 형제들 막장 싸움 막을 수 있는 방법이니까."

최영석이 눈살을 찌푸렸다.

"그게 오히려 나랑 기석이의 싸움을 부추기는 거다. 캐스팅보트는 네가 쥐고 있어. 네가 누구 편을 드느냐에 따라 나랑 기석이는 덜 싸울 수도 있단 말이다."

"대신 내가 선택 안 한 형과는 평생 남이 되겠지. 아니 남보다 못한 사이가 되겠지."

"그러니까 명분 있는 놈을 밀어줘. 어차피 다 우리 아버지한테 물려받은 회사 잘 키워 보자고 이러는 거 아니냐? 가장 실력 있는 놈한테 밀어줘야지."

큰형이 실력이 있던가?

회사의 외연 확장은 실패하고, 하청들 쥐어짜며 영업이익만 높이지 않았던가? 때문에 한명건설의 갑질 논란은 연일 입방에 올랐다.

하지만 굳이 그 얘긴 않기로 했다.

"기석이 그놈은 노욕이야. 금융회사가 어떻게 건설사까지 인수해? 금산 분리 위반으로 공정위에서 합병 승인도 안 해 줄 거다."

"형님. 둘째 형이 바보야? 건설은 조카들한테 물려주고 금산 분리 규정 잘 피해 가겠지."

"기석이가 너한테 그런 얘기까지 했냐?"

“아, 몰라. 두 사람 지분 다툼에 더 이상 나 끼어 들이지 마.”

막내 입에서 이런 말까지 나오는 걸 보면, 이미 저쪽은 철저하게 준비를 마쳤나 보다.

“그래 우리 막내는 그런 거 몰라도 되지. 대신 내가 너한테 좋은 제안 하나 할게. 우리 계열사 중 일신시멘트라는 회사가 있어. 내 지분 100%인 자회사에 일감도 몰아준다. 그거 명의 이전해 주마.”

“큰형. 나 호텔이랑 리조트 운영하면서 돈 버는 관광 업계 종사자요. 아무 연관도 없는 시멘트 회사 나한테 넘겨서 뭐 하게?”

“그러니까 주는 거다.”

“뭐?”

“아무 연관도 없는 시멘트 회사 지분 가져가고, 평생 네 비자금 창구로 써. 어차피 밑에 놈들이 일은 다 알아서 할 거다. 넌 그 회사에 등기만 치면 돼.”

사실상 바지사장 하란 얘기다.

“그러다 형이 시멘트 회사 바꾸면? 일감을 다른 곳에 몰아주면?”

“내가 미쳤어? 그럼 네가 건설 지분 들고 바로 둘째한테 쪼르르 달려갈 텐데. 하하. 우리 한명건설에서 취급하는 모든 시멘트는 다 거기 통해서 거래할 거야. 여기 네 비자금 창구로 써라.”

등기만 치면 알아서 돈을 벌어 주는 회사.

이건 투자금도 필요 없고, 머리 아플 일도 없다. 한명건설이 건재하는 한 대한민국 최대의 시멘트 납품 업체가 될 것이다.

"이 좋은 걸 공짜로 주진 않을 테고. 조건이 뭐야?"

"둘째랑 나랑 진흙탕 싸움할 건데, 네 허락을 구하고 싶다."

"허락?"

"알잖아. 그 새낀 경영권 앞에선 핏줄도 없어. 나 일감 몰아주기 걸렸을 때 결정적 진술이 어디서 나왔는지 알지? 난 그때 그 사건으로 아직 이미지 회복이 안 되고 있다."

지금까지 형제들이 유배를 당해야 했던 그 사건을 말하는 것이다.

그룹 내부 일이 외부에 완전히 흘러갔고, 아버지마저 이 문제를 작은 형의 소행이라 생각했다.

이는 선을 넘은 일이었다. 제아무리 경쟁자라 해도 어떻게 당국에 이런 일을 한단 말인가.

"나는 딱 당한 만큼만 갚아 줄 거야. 네가 진짜 중립적이라면 나랑 동조하자."

"무슨 계획인데?"

"기석이 계열사 중 하나가 기업을 소유하고 있더라. 해외 법인으로 포장하긴 했는데, 이거 한명투자 회사더라고."

"설마 비자금……?"

"까진 모르겠지만 일단 하나는 확실해. 금산 분리를 어긴 거."

투자 회사는 기업을 소유할 수 없다.

현행법은 금융과 산업을 엄격히 분리한다.

"난 이걸 공정위에 제보할 거고, 딱 당한 만큼만 갚아 줄 거다."

최만석은 굳은 얼굴로 말을 이었다.

"이렇게 시나리오까지 짜 온 걸 보면 내 동의도 필요 없을 것 같은데. 굳이 이걸 나한테 말하는 이유는 뭐야?"

"내가 기석이를 공격하면 그놈이 누굴 찾아가겠냐."

"음……."

"득달같이 네게 달려가서 나를 음해할 거야. 그때 흔들리지 마. 나는 기석이 놈에게 당한 만큼만 갚아 줬을 뿐이다."

아무것도 하지 않는 것이 바로 자신의 역할이었다.

침묵의 대가로 한명그룹의 용돈 창구인 시멘트 계열사 하나를 넘겨받는다. 밑져서 나쁠 게 없는데 거절할 이유가 있을까?

심지어 전후 사정을 감안하면 큰형에겐 나름의 명분도 있었다.

한참 고민하던 최만석이 괜히 말했다.

"몇 가지 확실하게 합시다. 그 계열사는 나한테 넘기는 거 맞지?"

"물론."

"형님 시나리오 중에 내가 따로 해야 할 역할은 없는 거고?"

"대표이사 등기만 쳐. 일은 어차피 밑에 놈들이 다 할 거야. 그리고…… 한번 생각해 봐. 주총 때 내 편 들어주면 내가 더더욱 많이 챙겨 줄 테니."

슬쩍 본심을 꺼내 봤지만 막냇동생은 거기까진 동조하지 않는 모양이었다.

"그래, 그래. 못난 형들 싸우는데 막냇동생까지 끌어들일 필요 없지. 내가 원하는 건 딱 이거다."

"에휴…… 아버지 돌아가시니까 어째 형들하고 더 멀어진 것 같아."

"시련이 어찌 없겠냐. 그래도 곧 지나갈 싸움이다. 다시 한번 말하지만 이 지지부진한 싸움을 가장 빨리 끝낼 수 있는 건, 전적으로 네게 달렸어."

동생은 더 이상 아무 대꾸도 하지 않았다.

암묵적으로 동조하겠다는 얘기.

둘째 놈의 이미지 타격이 상당할 것이다.

최영석은 함박웃음을 지으며 동생의 손을 덥석 잡았다.

"고맙다, 막내야. 이제 내 동생 같네. 하하."

배 팀장은 조사를 잘 마쳤다는 후련함을 만끽할 새 없이 눈치만 봐야 했다.

참 이상한 일이다. 데이트 어플 사건은 분명 다 성공적으로 마쳤는데, 과장님의 기분이 늘 우울하지 않나.

우연히 들은 최영호 회장의 비보에 과장님은 그 자리에서 망부석처럼 굳고 말았다. 그 뒤론 그 총기 가득했던 사람이 혼 빠진 사람처럼 눈에 초점도 없었다.

"해서 말인데, 과장님. 어떡할까요."

"……."

"저…… 과장님?"

"예?"

"영성기업 리베이트 사건요. 검찰에 기소 요청할까요?"

얼빠진 얼굴을 보니 또 회의에 집중하지 않은 모양이다.

"아, 네……. 그렇게 처리해 주세요."

"알겠습니다."

"죄송합니다, 요즘 제가 잠을 설쳐서. 남은 회의는 보고로 대체하겠습니다. 서류만 올려 주세요."

팀장들은 우려스런 얼굴로 자리에서 일어났다.

오늘도 로봇이랑 대화한 것 같은 기분이었다.

"배 팀장, 요즘 과장님 왜 저러냐?"

"너도 이상하지?"

"이상하다마다. 요즘 다른 팀장들이 만나기만 하면 이 얘기야. 과장님이 갑자기 로봇이 된 것 같대. 소개팅 앱 그거 뭐 일 처리 안 됐어?"

"무척 잘 끝났어. 해외로 야반도주하려던 놈 체포하고, 피해자들에게 보상도 잘 마쳤어. 나도 대체 왜 저러는지 이유를 모르겠다."

평택항에서 회사 대표를 잡지 않았나.

가입자들에게 피해금도 줬고, 보기 드물게 언론에서 칭찬까지 받았던 조사다.

그 사건 때문에 저러는 건 절대 아니리라.

답답한 대화가 계속되자 서 팀장이 머리를 북북 긁으며 한숨을 쉬었다.

"젠장. 이거 각이 안 보이네."

"왜?"

"지금 심각한 제보 하나가 들어온 게 있거든. 그래서 오늘 회의에서 그거 발표하려 했는데……."

"리포트로 대체하라잖아."

"리포트로 해결할 만한 문제가 아니라서."

"무슨 사건인데?"

서 팀장은 잠시 고민하다 말을 이었다.

"한명그룹 경영권 분쟁, 아무래도 벌써 시작한 모양이야.

투서가 도착했어."

"투서? 아니, 그 장례식이 언제 끝났다고……."

"내부에서 이미 칼을 갈고 있었다는 거지. 장례 끝나자마자 바로 도착했다."

최 회장이 죽은 지 겨우 일주일도 지나지 않았다. 그런데 벌써 투서가 도착했다고?

"한명금융이 금산 분리를 어겼대."

"금융이면……. 차남인가?"

"응. 금융회사가 일반 회사를 소유했어. 명백한 금산 분리 위반인데……. 이거 터지면 아주 대형 사건이 될 거야."

한국뿐 아니라 모든 선진국들이 금융과 산업을 철저히 분리시킨다.

돈을 쥐고 있는 놈이 산업까지 쥐면 올 대출을 해 주기 때문이다. 자칫하면 한 기업이 망함으로 예금자 전체가 위험에 처해질 수 있다.

"아니, 대체 그게 어떻게 가능하지? 금산 분리는 우리랑 금감원이 눈에 불을 켜고 감시하는 상황인데."

"그 자세한 내용이 제보에 다 나와 있더라. 법의 허점을 완벽하게 파악하고 있었어."

"그 제보서는 그걸 또 어떻게 알고 투서를 했대?"

"그러니까 누구겠냐. 그룹 사정을 잘 알면서도 적인 사람, 최기석이 형제들이겠지."

두 사람은 잠시 숙연해졌다.

경영권 분쟁의 서막이 올랐다. 둘째의 치부를 들춘 것은 분명 형제들일 터. 기업 분쟁에 공정위가 칼잡이 노릇을 한다는 게 석연치 않다.

"근데 이 시국에 이런 사건 맡고 싶지가 않은데……."

"접어."

"뭐?"

"이건 과장님께 보고 올릴 필요도 없다. 누가 봐도 우릴 지들 사냥개로 쓰겠다는 거야. 과장님이 이런 사건을 하겠냐."

"아무래도 그러겠지?"

"당연하지! 이건 절대로 건드리지 말아야 할……."

그때였다.

"서 팀장. 그게 무슨 얘기야?"

갑자기 뒤에서 준철의 목소리가 들렸다.

최근 거의 로봇처럼 무미건조했던 과장님 얼굴이 시뻘겋게 달아올라 있었다.

"과, 과장님……."

"방금 무슨 얘기야. 한명그룹이 금산 분리를 어겼어?"

"아닙니다. 투서가 하나 도착했는데 아무래도 그 출처가 내부자 같았습니다."

"그럼 내부 고발이지 뭐가 아무것도 아니야. 리포트 내놔 봐."

준철은 재빨리 서류를 빼앗았고 이내 시시각각 표정이 변해 갔다.

서 팀장 말대로 내부자가 아니면 알 수 없는 정보다. 차남 최기석이 특수목적회사(SPC)를 설립해 골프장과 여수에 리조트 사업을 벌이고 있다는 내용.

여기까진 문제 될 거 없으나 여기에 투자된 비용 모두 한명투자에게 대출 받은 사실이 문제다. 금융회사 오너가 자기 사업에 돈을 끌어다 쓰는 것은 명백한 금산 분리 위반이기 때문이다.

"5%? 기준 금리 3%시대에 기업 대출이 겨우 5%야?"

심지어 이건 금산 분리 위반만이 문제가 아니었다.

제아무리 금산 분리 위반이라도 금리만 제값으로 받으면 누가 뭐라 하겠나.

하지만 한명투자가 대출한 이율은 말도 안 되는 이율로, 이건 불법 대출까지 의심해 볼 여지가 있었다.

이는 김성균으로 살 때도 접하지 못했던 소식이다.

"서 팀장, 이거 제보 어디서 들어온 거야?"

"신문고 공익 제보실로 들어왔습니다."

"공익 제보? 그럼 익명이겠네."

"예. 그렇습니다."

비록 익명이었지만 누가 보냈는지는 모두가 알고 있다.

"제 생각엔 삼남 최만석이 내부 고발을 한 것 같습니다. 알

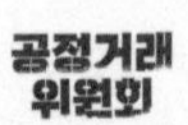

아보니 호텔경영권과 관련해서 차남과 다툼이 있었더군요."

"그놈은 건설 경영권하고 거리가 멀어. 크고 작은 다툼은 있겠지만 이 정도는 아니다."

"그럼……."

"장남이겠지. 최영석. 그놈이 보낸 거다."

너무 당연한 사실이었지만 두 팀장은 조심스러웠다.

"과장님, 현 상황에서 일단 판단은 유보하는 게 좋겠습니다. 최기석 측근 중에 앙심을 품고 고발한 임원일 수도……."

"이 정도 정보를 알 만한 측근들은 은퇴할 때 입막음비 다 받고 퇴직한다. 남는 게 뭐 있다고 자기 옛 주인을 배신해."

"하면……."

"이 사태 커져서 남는 게 있는 놈. 최영석이밖에 없어."

이젠 두 팀장도 반박하지 못했다.

"근데 이거 너무 1차원적인 거 같지 않습니까. 최영호 회장 작고하고 지금 모두가 다 한명그룹을 주시하고 있습니다."

"맞습니다. 이렇게 속이 빤히 보이는 투서를 제출할 리가……."

"그리고 이건 누워서 침 뱉기입니다. 자기 형제 팔아먹어 봤자 제 살 깎아 먹기예요. 진짜 그런 미련한 수를 뒀을까요."

준철은 매우 단호히 끄덕였다.

"응. 뒀다."

"……예?"

"최영석이는 비단 그룹 지배권 때문만에 이러는 게 아니야. 지난번 수모를 갚아 주려고 던진 거야."

"지난번이라면 그 일감 몰아주기 조사 말입니까?"

"그래, 내가 그 사건 직접 담당해서 더 잘 알지. 그때 차남이 형의 치부를 다 자백해서 조사 빨리 끝냈다. 이건 분명 사사로운 감정도 얽혀 있을 거다."

"하지만 이렇게 막가파식으로 가면 한명그룹 우호 지분이 다 떨어질 수도 있는데요."

제아무리 경영권에 눈이 멀어도, 자기 형제 치부를 고발하는 놈이 어디 있나?

결국 그 치부는 그룹의 치부다. 차남은 따돌릴지 몰라도 더 많은 우호 지분을 잃을 수도 있는 일이다.

"……."

한명그룹의 전 계열사를 돌아본 김성균은 이미 그룹 내막에 대해 속속들이 알고 있었다.

하지만 수면에 드러나는 일은 없다. 각 경쟁자들이 약점을 비수처럼 들고 있기 때문이다.

남의 치부를 들춰내면, 나의 치부도 드러난다. 그걸 누구보다 잘 알고 있을 텐데.

고민을 거듭해도 최영석의 마음을 이해할 수 없었다.

어쩌면 아주 든든한 우호 지분을 확보했으니 이렇게 나오는지도 모를 일이지.

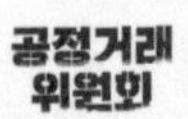

"일단 금감원에 자료 조회하고 이 자료 더 판다."

"과장님, 근데 좀만 더 신중을 기하는 게 어떻습니까. 이건 자기들 경영권 다툼에 공권력 이용하겠다는 속내 아닙니까."

"그래서?"

"우리가 맡는 게 맞을지……."

"금산 분리 위반했는데 우리가 안 맡으면 어디가 맡아. 설마 금감원, 금융위, 금조부. 타 부처에 일감 떠넘기라는 건 아니지?"

두 사람은 입을 다물 수밖에 없었다. 저렇게 말하는 걸 보니, 절대로 그 방법은 안 쓸 모양이다.

준철은 서류를 덮으며 마저 말을 이었다.

"사건 디벨롭 해서 넘기는 건 찬성. 근데 이거 안 하면 직무유기다."

준철도 알고 있었다.

이미 주가가 테마에 따라 움직이며 도박판이 된 지 오래다. 많은 투자자와 애널리스트들이 한명그룹 피바람을 예상하고 있었다.

공정위가 여기에 끼어든다면 당연히 편파 논란이 휩싸일 수밖에 없다.

하지만 안 맡을 수도 없었다. 멀쩡한 공익 제보를 묵살하면 그다음은 직무유기 혐의가 뒤따라오기 때문이다. 제보가 접수된 이상 편파 논란은 피할 길이 없다.

"나도 최영석이한테 장단 맞춰 주기 싫다. 근데 우린 우리 본분만 생각하자."

그깟 자존심은 잠시 제쳐 두기로 했다. 신빙성 있는 자료가 접수됐으면 그냥 하는 거다.

"죄송합니다. 제 생각이 짧았습니다."

"저도 맡는 게 좋을 것 같습니다. 과장님 말씀대로 하겠습니다."

준철은 끄덕인 후 고개를 돌렸다.

"서 팀장, 지금 연락해서 최영석이 좀 보자고 해. 날짜 잡아라."

"날짜요? 최영석은 왜……."

"제보자를 직접 만나야지. 내가 직접 담판 놓는다."

◎

"또 뵙는군요."

다시 만난 최영석은 얼굴에 웃음이 가득이었다.

아버지를 보냈다는 아쉬움은 사라진 지 오래다.

눈치 볼 사람이 하나 없어졌으니 어쩌면 지금이 더 편안할지도 모른다.

"이렇게 자꾸 기업인들 봐도 되는 겁니까. 정분나는 거 아닌가 모르겠어."

"여유로운 걸 보니, 오늘 왜 보자고 한 건지도 아시나 봅니다?"

"모르겠는데. 용건이 뭐요?"

"국민신문고에 공익 제보가 하나 접수됐는데, 아무래도 사익 제보 같거든요."

"난 머리가 나빠서 어렵게 말하면 모릅니다만."

"좋습니다. 피차 바쁠 텐데 단도직입적으로 말하죠. 한명투자, 최기석 상무. 금산 분리 위반 의혹 제기한 거 본인 아닙니까."

최영석은 노골적으로 불쾌함을 드러냈다.

"공익 제보 접수를 왜 나한테 따지고 들어? 내가 했다는 증거 있어? 그리고 언제부터 조사기관이 익명의 제보자를 찾아 나섰나. 출처가 나면 조사 안 하는 거요? 제보가 접수됐으면 그 자체의 신빙성만 따져야지, 이게 무슨 경우야."

"제보자 찾자고 부른 거 아닙니다. 다만 이 제보 증거가 부실해서 조사가 안 될 수도 있어서."

"뭐? 아니, 그게 왜 조사가 안 돼? 증거 부실은 개뿔 어떻게 조사해야 하는지까지 다 시나리오 짜 줬잖아."

"아직 공익 제보 내용 말씀 안 드렸습니다만, 내용을 잘 아시나 봐요?"

"그, 그야……. 뭐 당신이 나 찾아왔으니까 해 본 소리."

"어설픈 연극놀이 그만하고 우리 허심탄회하게 대화해 봅시다. 이거 출처 당신이지?"

최영석은 더 이상 목소리를 높이지 못했다.

막내는 이미 경영권과 멀어졌으니 자신이 의심받는 건 당연한 일이다.

"나면 어쩔 거요. 안 할 겁니까."

"그럴 리가요. 몇 가지 부실한 증거가 있지만 제보 내용 자체는 상당히 신빙성 있다고 판단했습니다."

증거 부실은 핑계다. 내일 당장 영장이 나와도 손색없을 만큼 모든 내역이 자세히 나와 있다.

아무리 봐도 이 젊은 놈이 자신을 떠보는 것 같았지만, 최영석은 놈의 장단에 맞춰 주기로 했다.

이번 조사의 최대 수혜자는 어찌 됐건 자신이었으니.

"좋아. 뭐 제보가 어떻게 갔는지는 모르겠지만 아는 선 안에선 다 말해 드리리다. 뭐가 궁금하지?"

"확인부터 합시다. 그러니까 차남 최기석이 금산 분리를 어긴 게 사실입니까?"

최영석은 고개를 끄덕였다.

"응. 나도 잘 몰랐지만 그룹 내부에선 이미 파다하게 퍼져 있더군. 영인컴퍼니, 이거 사실 기석이 소유야. 한명투자의 대출 과정 전부 다 불투명했어. 기업 대출이 고작 5%인 것만 봐도 답이 딱 나오잖아. 불법 대출."

"그 자료 출처는?"

"그쪽에 있는 내부 고발자. 전직 임원들."

준철은 피식 웃음이 났다.

"이미 그쪽 사람들까지 다 포섭하셨나 보군. 회장님 돌아가시기 전부터 계획했던 건가."

"그래. 일찍 일어나는 새가 벌레를 잡는다잖아. 나만 당할 수는 없지."

은혜는 잊어도 원하는 절대 잊지 않는다.

과거에 알던 최영석과 한 치도 다르지 않은 모습이었다.

"내가 대답 한번 했으니, 이젠 나도 하나 물어봅시다."

"말해요."

"내 승계 시나리오, 누가 밀고했지? 아무리 찾아봐도 전직 임원들은 아니야. 최기석이 그쪽 사람인가? 그쪽에서 우리 승계 시나리오를 알고 있는 건가?"

김성균……이라는 대답으론 충분치 않았던 걸까?

하긴 죽은 사람은 말이 없다. 벌써 몇 년도 더 지난 일인데 이제 와 그럴 거라곤 상상도 못 하겠지.

"맞아. 최기석이 쪽에서 시나리오 나왔어."

"젠장. 내가 그럴 줄 알았어. 이 새끼가 내 뒤통수를 두 번이나 치네. 근데 그놈은 내 승계 시나리오를 어떻게 알았지?"

"그건 본인한테 스스로 물어봐요. 원한 진 임원들 없어요? 퇴직금을 섭섭하게 줬다거나. 아님 퇴직금 주기 싫어 묻어버렸던가."

"뭐, 뭐? 이 사람이 지금 뭔 끔찍한 소리를 해!"

"그러니까 대답을 나한테 찾지 마시고 혼자 고민해 보라는 겁니다."

살짝 붉어진 놈의 얼굴을 보는 게 괴롭다.

그 와중에 큰소리 내는 걸 보니, 뻔뻔함은 여전한가 보다.

하지만 지금은 과거의 감정에 연연하지 않고 눈앞에 보이는 사건에만 집중하기로 했다.

예기치 않았지만 상황이 잘 풀려 간다. 형제 사이에 불신의 싹이 트지 않았나.

지금은 놈의 장단에 맞춰 칼춤을 추지만 언젠간 그 화살이 자기에게 돌아갈 것이다.

"그럼 할 얘긴 다 끝났고, 우리가 몇 가지 자료만 더 요구합시다."

"무슨 자료?"

"영인컴퍼니, 뭐 다 바지 사장이겠지만 대표이사가 너무 바뀌었어. 수소문해 보니 여기 거쳐 간 사람들은 다 이민 갔더군."

"그래서?"

"이대로라면 최기석 소유라는 거 입증 못 해. 한 사람이라도 좋습니다. 딱 한 사람만이라도 잡아서 나한테 자백시켜요. 그럼 혐의 입증됩니다."

최영석이 비열하게 웃었다.

"이거 안달이 나셨군. 내 사냥개 역할 하는 건데 그리 좋은가?"

"목적이 같아서 잠시 한배 탔는데 왜 편이라고 생각하지. 우린 누구라도 물어뜯을 수 있는데."

보면 볼수록 탐나는 놈이다. 저런 야성미 넘치는 놈이 내 밑으로 들어왔었다면 진작 경영권 걱정은 떨쳐 낼 수 있었을 텐데. 최선을 다해 내 적들을 물어뜯어 줬을 텐데.

하지만 절대로 남 밑에서 일 못 하는 부류라는 것도 잘 안다.

"잡담은 여기까지. 응할 생각 있으면 말하쇼. 증인 한 명만 있으면 조사 일사천리로 끝낼 수 있으니."

"그건 생각해 봅시다. 나도 증거만 제출하면 될 줄 알았지, 증인까지 필요할지는 몰랐네."

"좋아요. 노력해 봐요."

놈과 나눌 대화는 여기까지다.

준철은 자리에서 일어나다 슬쩍 물었다.

"그나저나 이러면 본인한테 좋을 게 있나? 동생의 치부든 뭐든 결국 한명그룹의 치부야. 그걸 들춰내면 결국 그룹 내 우호 지분이 떨어질 수도 있는데."

"그 부분은 염려 마. 가장 강력한 사람한테 지지를 얻었으니까."

"삼남?"

"노코멘트."

역시나 그거 아니면 이럴 수가 없지.

뭐 뒷사정을 다 알 필요는 없다.

"비밀이 많으신 분이군. 좋아요. 그럼 당분간 잘해 봅시다."

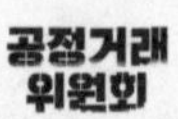

질 끝판왕 사망

한명그룹
김성균 본부

금산 분리 위반

"공정위가 이걸 대체 어떻게 알아?! 정말 내부 고발 아니라고 자신할 수 있어? 이 중에 밀고자가 없다고 정말 자신할 수 있어?!"

공정위의 공문 한 장에 한명투자 전 임원들이 비상소집 되었다.

직책은 상무일지 모르나 사실상 실질적인 오너다.

"김 회장님 설명을 좀 해 봐요. 내가 진짜 이 사람들 믿어도 됩니까?"

이는 바지회장인 김 회장에게도 예외가 아니었다.

그도 그럴 것이 공정위의 공문이 너무나 세세하게 나와 있다.

영인컴퍼니가 최기석의 소유사라는 것도, 한명투자가 그 회사에 초저금리로 대출을 내줬다는 것도 모두 소상히 적혀 있었다.

"상무님……. 외람되지만 내부자 같은 외부자 소행인 걸로 추측됩니다."

"내부자 같은 외부자?"

"그룹 실상에 대해선 잘 알지만, 가장 적대적인 사람 말입니다."

"지금 우리 형제들 중에 범인이 있다는 겁니까."

"그게 아니면 설명할 길이 없습니다."

김 회장의 간절히 읍소하자 최기석도 그제야 범인 찾기를 멈췄다.

그가 불쌍해서라기보다는 그의 말이 일리 있다 생각했기 때문이다.

"그룹 사정에 대해 잘 알면서도, 나한테 적인 사람, 그리고 내 불행을 가장 즐거워할 사람. 그럼 딱 하나네?"

"……."

"다른 임원들은 꿀 먹었어? 시원하게 말 좀 해 봐. 이거 큰형 소행인 것 같아?"

아무도 나서서 대답하지 않았지만, 최기석은 이 침묵이 무얼 의미하는지 정확히 알고 있었다.

언젠간 이럴 줄 알았지만 큰형이 방아쇠를 당긴 것이다.

비록 그 시일이 예측보다 빨랐을 뿐이다.

"하아……. 대책 좀 세워 보자. 우리 대체 어디까지 걸렸지?"

"일단 영인컴퍼니가 상무님 회사인 건 다 들통난 것 같습니다. 정황상 빼도 박도 못할 거고, 여기를 거쳐 간 사장 중 한 사람만 자백해도 다 밝혀질 겁니다."

"그 회사에 얼마나 대출해 줬지?"

"경주 리조트랑 골프장 부동산 등 합쳐서 2천억 정도 됩니다. 그리고……."

"그리고?"

"해외 법인을 통해 대출한 금액 1천이 따로 있습니다. 합산하면 3천억 정도 됩니다."

기준 금리 3%시대. 은행 예 · 적금이 6~7%를 돌파한 시국이다.

불법 대출 의혹은 피할 길이 없으며, 금산 분리 위반 또한 피할 길이 없다.

최기석 머릿속엔 지난 뉴스 한 줄이 지나갔다.

2년 전 산업은행이 500억대 불법대출을 실행해 부행장 등 다섯 명이 실형에 처해진 사건이다.

사기업이 3천억대, 그것도 오너 일가를 위해 설립한 회사에 불법대출을 해 준 정황이 드러나면 경영권 싸움은커녕 실형도 피하지 못한다.

"대체 큰형이 왜……. 아무리 경영권이 중하다 해도 정도가 있지. 대체 왜."

"아무래도 지난 사건 때문에 악감정이 남아 있는 것 같습니다."

"지난 사건?"

"일감 몰아주기 당시 우리가 부회장 비리를 고발하지 않았습니까. 아직도 앙금이 남아 있는 것 같습니다."

쾅-!

"그건 이미 다 끝난 사건에 내가 쐐기만 박은 거고! 이건 없는 사건에 갑자기 불 지핀 건데 이게 어떻게 같아?"

"……."

"그 새낀 형도 아니야. 아무리 경영권에 눈이 멀어도 형제를 팔아먹어?"

더욱 분통 터지는 건 이 사건이 아버지가 돌아가시자마자 일사천리로 진행됐다는 거다.

형은 아무래도 계속해서 칼을 갈아 온 것 같다.

철저한 준비만큼 빠져나갈 구멍이 없었다.

이 사건으로 실형을 살면 아주 편안하고 자연스럽게 건설 경영권이 형에게로 넘어갈 것이다.

하지만 의문이 생겼다.

"근데 이건 누워서 침 뱉기 아니야? 자칫하면 한명그룹 전체를 위험에 빠트릴 수도 있다고."

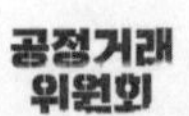

우호 지분이 싹 떨어질 수도 있는 문젠데, 이걸 감수한다고?

"아무래도 든든한 우호 세력을 확보한 듯합니다."

"혹시 막내?"

"예. 소액주주, 임원주주 다 긁어모아 봤자 최만석 이사가 들고 있는 주식만 못하니까요."

"사실 최근 부회장이 막내 대표님과 접촉을 했다고 합니다."

피가 거꾸로 솟을 것 같았다.

지주회사인 한명건설의 운영권. 여기서 캐스팅보트를 쥐고 있는 건 장남도 차남도 아닌, 가장 경영권과 먼 삼남이다.

그 때문에 자신도 심심찮게 연락을 하고 움직였다.

동생의 반응은 호의적이었고 이에 대권을 잡을 수도 있겠단 희망이 번졌다.

하지만 그 가식적인 웃음은 자신에게만 보인 게 아닌가 보다.

형에게 고발당했다는 소식보다 동생이 붙었다는 소식이 더 믿기 힘들었다.

"어떡할까요. 일단 공정위에서 소명 요구가 왔는데……."

사적인 감정은 뒤로하자. 지금은 당면한 문제부터 해결해야 한다.

"시간은 얼마나 끌 수 있지?"

“듣자 하니 담당 과장이 그때 부회장 비자금 조사를 했던 과장이라 합니다. 아마 속전속결로 끝낼 겁니다.”

“그쪽 빈틈은?”

“영인컴퍼니를 거쳐 간 소유주들은 못 찾았습니다. 자백받는 데 시간이 걸릴 겁니다. 하지만 시간문제…….”

“그럼 됐어. 일단 현금화할 수 있는 돈 다 긁어모아서 대출 다 갚아.”

“하지만 이미 대출이 진행됐…….”

“일단 갚아! 영인컴퍼니가 자금 여력이 되는 회사였다는 걸 증명해야 할 거 아니야.”

부실기업에 초저금리로 대출해 주는 것과, 그래도 자금력 있는 회사에 대출해 주는 건 큰 차이가 있다.

최기석은 이미 무죄를 포기했다. 형량이라도 줄여서 어떻게든 집유를 따내야 한다.

“따라 붙은 언론은?”

“아직은 낌새가 없습니다. 하지만 만약 공정위가 보도 자료를 흘리면 곤란해집니다.”

임원들은 모두 얼굴이 어두웠다.

이 사실이 알려지는 것만으로도 한명투자에 예치된 대부분의 돈들이 빠져나갈 것이다.

고객들에게 손해를 끼치는 투자사는 많아도, 고객 돈으로 자기 사업을 펼치는 오너는 없었으니까.

"그럼 우리도 언론 대응 준비하자. 만약 내 의혹 보도 나가면 이건 우릴 음해하기 위한 표적 조사다, 청탁 조사라고 해. 당연히 그 배후는 큰형이다."

메시지를 반박할 수 없으면 메신저를 반박해야 한다.

공정위가 큰형의 청탁을 받고 찍어 내리기 조사를 한다, 이 전략으로 돌파구를 마련해야 한다.

한명그룹 내부 사정을 모르는 이도 없고, 최근 주가판도 거의 투기판으로 전락했으니 사람들도 믿어 줄 것이다.

"모두 나가 봐."

임원들이 줄행랑치며 나가자 그의 장남이 운을 뗐다.

"아버지……. 그냥 적당히 선 정리하시죠. 큰아버지 목적은 어차피 망신 주깁니다. 사건 키워서 좋을 게 없습니다."

"지금 자백이라도 하자는 게냐?"

"공정위 자극해서 좋을 게 없잖습니까. 현 조사 맡고 있는 게 그때 작은아버지 망신 준 작자라 들었습니다. 이런 부류는……."

"그러니까 더 자근자근 밟아 놔야 한다는 거다. 네 큰아버지가 그때 얼마나 큰 망신당했는지 모르냐?"

익히 잘 안다.

언론에 대서특필되고 은퇴했던 할아버지가 나와서 동반 은퇴까지 했다.

"그런 놈한테 잘 봐달라고 저자세로 나가면 더 기어오르는 법이야. 이건 초장에 승부 봐야 돼. 이 시국에 우릴 조사하는 게 얼마나 편파적인지 어필해야 한다고."

"……."

"성진아, 이번 공정위 대응은 네가 맡도록 해라. 어차피 사업하다 보면 이런 크고 작은 풍파가 있기 마련이다. 후계자 수업 한다 치자."

"알겠습니다, 아버지."

아들에게 가르쳐 줄 좋은 경영 수업이라 생각하니 분이 조금 가라앉았다.

"전화도 없이 무턱대고 방문하는 건 너무 심한 거 아니야?"

"동생이 내 전화를 받아야 말이지."

"아버지 돌아가시고 나도 이것저것 처리할 게 많아서 바빠."

"그래? 근데 그 바쁘신 몸으로 큰형은 왜 만났냐?"

극비리에 성사되었던 큰형과의 만남이 이미 작은 형 귀에 들어갔나 보다.

최근 언론의 모든 주목을 받는 게 한명그룹인 걸 감안하면 그다지 놀라울 것도 없다.

난감해하는 동생을 두고 최기석이 본론을 꺼냈다.

"됐고. 한 가지만 묻자. 너 큰형 편에 서기로 한 거냐? 아니면 내 좋은 동생으로 남을 거냐?"

"자꾸 사람 난감하게 왜 이래. 형제끼리 편이 어딨……."

"그런 놈이 큰형하고 작당해서 네 작은형을 팔아? 내가 진짜 등신으로 보여?"

전후 사정을 모두 다 파악한 모양이다. 더 이상의 발뺌은 화만 더 키운다.

최만석은 무거운 한숨을 내쉬며 말했다.

"분풀이 더 당하기 전에 그럼 나도 물어보자. 큰형이 제보한 내용 모두 사실이야?"

그제야 최기석 태도가 온순해졌다.

"어디까지나 법적으로는……."

"나 지금 말장난하려고 물어보는 거 아니야. 편법이든 불법이든 그 회사 형이 소유한 거 맞느냐고. 5% 대출까지 실행해 줬어?"

골이 아파지는 최만석이다.

금융 문외한인 자신이 봐도 불법대출, 금산 분리 위반.

굳게 닫힌 형의 입이 모든 걸 사실이라 시인하고 있었다.

"얼마야? 그렇게 대출해 준 돈이."

"2천억 정도 된다."

"나도 큰형한테 들은 게 있어. 진짜 그게 다야?"

"……3천억 정도 된다."

최만석이 자리를 박차고 일어나려 할 때, 최기석이 다급하게 말했다.

"근데 이거 다 갚을 수 있는 돈이야! 절대 부실 회사에 실행한 대출 아니라고."

"그럼 상황이 달라져? 금산 분리 위반 혐의는 빼도 박도 못한다는 거 아니야."

"나한테 쏘아붙이지 말고 너도 판단 잘해라. 지금 이게 너한테 불리한 일이야."

"뭐?"

"큰형의 속셈은 하나야. 경영권에 제일 위협되는 동생 놈 징역 보내고 그 틈을 타 건설 먹는 거."

"큰형도 사람이우. 설마 실형까지는……."

"작년에 산업은행에서 5백억짜리 불법대출 걸려서 다섯 놈이 실형 살았다. 넌 내가 실형 피할 수 있다고 보냐?"

막냇동생은 할 말이 없었다.

이미 더 한 판례가 있었으며, 경영권에 눈먼 큰형이 더한 짓도 할 수 있는 위인이라 생각했기 때문이다.

"너 나랑 했던 약속이 있잖아. 내가 한명건설 지배권 가져가면 리조트 관련 사업 및 모든 계열사 지분 다 안전하게 분리해 준다."

두 사람은 이미 사전에 밀약을 나눴고, 최근 돈독한 사이로 발전했다.

“과연 큰형이 나보다 네 몸값을 더 쳐줄까?”

“…….”

“너도 큰형 성격알지? 수십 년 거래하던 하청도 헌신짝처럼 내팽개치는 사람이야. 경영권 앞에선 형제고 나발이고 없어. 나 감방 가도 사식 한번 안 넣어 줄걸? 근데 넌 다를까?”

카르타고를 무너뜨린 로마는 기다렸다는 듯 주변 약소국을 정리했다.

아테네를 정복한 스파르타도 가장 먼저 한 게 주변국 침략이다.

캐스팅보트는 언제까지나 양자가 대립하고 있을 때 빛을 발하는 법.

자신의 상황을 파악한 막냇동생의 얼굴이 급격히 어두워졌다.

최만석이 답답함을 이기지 못하고 버럭 소리를 질렀다.

“왜들 막냇동생 못 괴롭혀 안달이야. 그래서 나더러 어쩌라고. 내가 신고했어?”

동생이 밑바닥을 드러내자 최기석은 오히려 홀가분한 표정이었다.

“큰형한테 말해. 여기서 휴전하자고.”

“이미 다 공정위한테 자료 넘어갔는데, 무슨 휴전?”

“영인컴퍼니가 내 실소유 회사라는 건 아직 안 밝혀졌다.

공정위가 눈에 불을 켜고 있다더군."

"그거 하나 못 밝힌다고 비리 사건 전체가 덮일 것 같수?"

"불법 대출과 자금 운용 불투명에 대한 책임은 진다. 그럼 공정위도 체면은 설 거야. 아니, 내 말부터 들어. 다시 말하지만 사냥이 끝나면 사냥개부터 잡는다. 너도 나처럼 탈탈 털리고 싶은 건 아니지?"

큰형의 비정함은 최만석도 익히 알고 있다.

왕좌를 차지하고 나면 바로 토사구팽 할 위인이다.

어쩌면 이미 솥단지에 물을 펄펄 끓이고 있는지도 모른다.

좀 더 생각해 보니 자신이 몸값을 너무 쉽게 불렀단 생각도 들었다.

균형자 노릇하며 여기 비위도 맞춰 주고, 저기 비위도 맞춰 주면 건설 지분값이 더 천정부지로 솟을 것 같았다.

젠장.

아버지가 늘 우유부단하다고 질책했는데……. 돌아가시고 나니 그 말이 딱 맞다.

"좋아. 그건 내가 형한테 한번 말해 보지. 아직 아버지 49재도 안 지냈는데 너무 급한 거 아니냐고."

"그래, 균형 맞추면서 너도 몸값 올려. 가장 마지막에, 가장 좋은 견적 내 주는 형 말 따르면 되는 거다."

"근데 작은 형. 그럼 큰형이 말한 내용 자체는 다 사실이야? 영인컴퍼니 형 회사고, 금융 계열사에서 대출까지 해 줬어?"

더 이상 잡아떼서 얻어 갈 것도 없다.

최기석은 순순히 끄덕였다.

"그래. 다 맞아. 하지만 영인컴퍼니가 내 소유라는 건 절대 못 잡아낼 거야."

"불법 대출한 정황이 있잖아. 당연히 형 소유 회사니……."

"그걸 무력화시킬 변호사까지 준비해 뒀다. 마지막엔 다 증불로 끝날 거야."

"그럼 정말 만약에……. 증거불충분으로 안 끝나면?"

"그럼 내가 실형을 살겠지. 큰형이 제일 바라는 결말일 거다. 근데 여기에 협조한 너도 마찬가지야. 아무리 경영권이 중해도 꼭 피붙이한테 실형까지 살게 해야겠냐."

최만석은 살짝 눈이 커졌다.

큰형에게 들었던 얘기와는 너무 다르다.

아무리 정적이라 해도 집유에서 끝내겠다고 하지 않았나.

"그, 그건 아니지. 나도 그런 싸움에 누구 감방 가고 하는 건 싫어."

"고맙다, 넌 내 동생 맞구나. 근데 큰형은 그걸 바라고 있을걸. 내가 감방 가 있으면 경영권은 확실하게 정리될 테니."

작은 형의 경고는 들을수록 살벌했다.

자신이 너무 쉽게 큰형과 결탁한 게 아닌가 하는 후회마저 들었다.

당장 달려가서 큰형한테 사격 중지를 요청해야겠다.

완벽한 제보가 접수되었지만 이것이 조사의 끝을 의미하는 건 아니었다.

이에 대한 증거 자료 수집은 공무원들의 역할이니.

팀장 6명을 차출해 달란 준철의 보고에 유 국장은 짧게 한숨을 내쉬었다.

"그러니까 지금 이 자료가 다 한명그룹 왕자의 난 때문에 나왔다?"

"네. 제보자도 직접 만났습니다. 신빙성은 확실합니다."

"내가 지금 신빙성 때문에 이러는 게 아니잖아. 누가 봐도 경영권 싸움에 공권력 이용하겠다는 거야. 사람들 눈엔 우리가 앞잡이로 보일 거라고."

"그런 거 신경 쓰면 큰일 못 합니다."

"뭐?"

"신빙성 있는 제보가 들어왔고, 몇 가지 확인 절차 거쳐 보니 모두 다 사실로 드러났습니다. 안 해야 될 이유가 없습니다."

사실 안 하면 위험해질 수도 있다. 만약 금융위, 금감원, 금조부가 해당 사건을 맡게 돼서 유죄를 받아 내면, 직무유기를 피할 수 없다.

해당 제보를 가장 먼저 받아 본 건 공정위니 말이다.

"듣고 보니 외통수구먼."

유 국장도 여기엔 반박할 수 없었기에 모처럼 시원한 대답이 나왔다.

"종합국에 인력 몇이나 돼?"

"세 팀 정도는 동원할 수 있습니다."

"좋아, 그럼 시장감시국에서 팀장 셋 더 받아 올 테니, 이거 해라. 어차피 제보는 확실하니 짧게 끝낼 수 있지?"

준철이 머리를 긁적였다.

"사안에 따라 좀 오래 걸릴 수도 있습니다."

"뭐?"

"일단 한명투자가 영인컴퍼니에게 대출 특혜를 줬단 사실은 확인했습니다. 근데 그 영인컴퍼니가 최기석의 실소유 회사라는 증거는 잡지 못했습니다."

"설마 바지 사장 썼어?"

"네. 치밀했더군요. 일가친척이 아니라 믿을 만한 사람들을 대표 이사로 앉혀서 남의 회사인 것처럼 위장했습니다."

유 국장이 신경질적으로 펜을 내려놨다.

"그 믿을 만한 놈들은 당연히 전직 임원들이겠지? 최기석이 최측근들?"

"네. 순번 돌리면서 그 임원들에게 퇴직금을 아주 두둑이 챙겨 줬습니다."

"그럼 그놈들만 잡아. 한 놈만 잡아내서 자백 받으면 되잖아. 그것들 어디 있어?"

"그게 저……."

유 국장은 모두 다 해외로 망명(?) 갔다는 소식에 벌떡 일어났다.

"한 놈도 빠짐없이 다 도피 갔다고?"

"……예."

"치밀한 놈이네, 최기석이."

내심 감탄마저 들었다.

충성심 검증된 임원들이 바지사장을 맡고, 자신의 금융계열사에서 자금을 댄다?

지금이라도 발견 게 천만다행이다 싶을 정도다.

한명그룹을 차지하겠다는 둘째의 야망이 마냥 헛물은 아니구나.

"그럼 어떡하게?"

"찾아야죠, 바지 사장들."

"찾으면 증언 확보는 할 수 있나? 두둑이 받은 퇴직금으로 입에다 공구리를 쳤을 텐데."

"입을 안 열면 그놈의 더 큰 약점을 쥐고 흔들겠습니다."

유 국장은 더 이상 묻지 않았다.

취조실에 거꾸로 매달아서라도 반드시 자백을 받아 낼 놈

아닌가. 일단은 사람을 찾는 것부터 고민해 봐야 한다.

"해서 말인데, 일단 기소를 칠까 합니다."

"기소? 야! 서초구에 하숙하는 기자들이 몇 명인데! 언론에 기사 나는 건 순식간이다."

"그게 목적입니다. 일단 이 사건 공론화시켜서 최기석 압박할 겁니다. 그럼 아무리 지구 반대편에 있다 한들 슬슬 부담감 느낄 겁니다."

그런다고 제 발로 한국에 들어올 사람이 있을까마는……. 해 볼 수 있는 건 다 해 봐야 한다.

준철의 거듭된 설득에 유 국장도 서서히 설득 당해 가는 눈치였지만, 그는 계속해서 주저했다.

한명투자는 소문에 가장 민감한 금융회사 아닌가. 언론에 보도가 나가는 것만으로도 막대한 돈이 인출될 것이다.

사실 명백한 금산분리 위반 행위라 딱히 거리낄 게 없었지만 현 상황은 신중할 필요가 있다.

최영호 회장의 사망으로 한명그룹이 경영권 분쟁에 휩싸여 있는데, 섣불리 참전하고 싶지 않은 까닭이었다.

"마지막으로 묻자. 너 진짜 괜찮냐?"

"어떤 부분이……."

"이러면 너한테 최영석이 딱지 붙는 거야. 찌라시엔 네랑 최영석이가 붙어먹었단 얘기도 나올 거다. 그쪽 바닥은 소문도 독하고 빠르다는 거 알지?"

실패가 두려운 게 아니다.

청탁 조사란 오명이 붙을까 봐 두려운 것이다. 이러면 조사를 성공리에 끝내도 최영석이 사냥개 노릇했다는 꼬리표가 붙을 테니.

"뒷말은 제가 감수하겠습니다. 그래도 하고 싶습니다."

"그래, 그럼 하자. 일단 네가 동원할 수 있는 세 팀장으로 조사 진행해. 만약 기소 치면 형량 얼마나 요구하게?"

"불법 대출액만 3천억 가까이 됩니다. 이걸 집유로 끝내면 오히려 저희가 욕먹을 겁니다."

"그래서 얼마?"

"과징금 1천억대에 실형 5년 정도 생각합니다."

놀라지 않으려고 각오했지만, 신음이 반사적으로 튀어나왔다.

실형 5년이면 사실상 은퇴 선고 아닌가.

당연히 가석방과 특사로 형기를 반도 채우지 않고 나오겠지만, 그사이 한명그룹 경영권은 이미 장남이 차지해 버릴 것이다.

유 국장은 많은 생각이 들었지만, 이 젊은 놈이 했던 한마디만 기억하기로 했다.

신빙성 있는 제보가 들어왔고, 그 사건을 조사하겠다. 그거면 된다. 더 이상의 고민은 정치적인 고민이다.

"좋아. 그럼 하자. 기소 빨리 치고, 해외로 망명 간 놈들

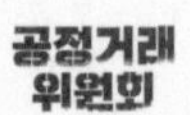

빨리 수배해. 이건 시간 싸움이야. 공론화되면 무조건 이겨야 돼!"

[속보. 공정위, 검찰에 최기석 기소]

[한명투자 금산 분리 위반 행위 및 불법 대출 혐의]

[초저금리 대출 줬던 영인컴퍼니, 실소유주는 누구?]

[한명그룹, 왕자의 난 시작되나?]

유 국장의 예견대로 서초구에서 하숙 생활 하는 기자들이 벌떼처럼 달려들었다.

기소 신청을 한 당일, 해당 뉴스가 실검에 올랐고 한명투자 주가가 5%나 폭락해 버렸다.

금융회사 오너가 개인 기업을 차리고 거기에 대출까지 줬으니, 이건 공금 횡령이나 다름없었다.

소액 투자자들의 분노가 하늘을 찔렀고, 언론은 시시각각이 반응을 대서특필해 댔다.

단 하루 만의 기사로 최기석의 이미지는 나락에 떨어졌다.

하지만 이 소식에 가장 분통을 터트리는 건 당사자도, 주주도 아닌 바로 제보자 최영석이었다.

"실형 5년? 누가 그래?"

"믿을 만한 검찰 쪽 라인에서 알려 준 겁니다. 공정위에선 과징금 1천억에 실형 5년을 구형하겠다고…….

"이 새끼가 미쳤나! 적당히 장단이나 맞춰 줄 것이지!"

최영석은 분통이 터졌다.

이번 사건을 주도한 건 경영권을 넘보는 동생의 기를 꺾기 위함이지 정말로 실형을 살게 할 마음이 아니었기 때문이다.

언론에서 망신 좀 사고 동생이 사과를 한다면, 적당한 선에서 끝을 볼 용의가 있었다.

하지만 공정위의 기소와 범죄 행위 공표로 이 계획이 물거품으로 돌아갔다.

공정위는 정말 거품 문 개처럼 달려들고 있다.

기소를 친 당일 영장 청구까지 했으며, 형량 얘기도 오갔다 한다.

아무리 동생이 미운 최영석이라 해도 이는 예상 밖의 일이었다.

그가 원하는 건 굴복한 동생이 경영권을 양보하는 그림이었지, 동생을 감방에 처넣는 냉혈한이 아니었기 때문이다.

심지어 이 문제가 커지면, 경영권에 눈멀어 그룹 내부 정보를 팔아먹었다는 비난을 피할 길이 없다.

"내가 미쳤지! 급하다고 고양이한테 생선을 맡겼네. 김 실장, 이건 아니야. 너무 커진다. 기석이가 감방까지 가면 내가

숨통 끊어 버린 게 된다고."

"하지만…… 지금은 멈출 기미가 안 보입니다."

"뭐?"

"공정위에 연락을 넣어 보니 안 받더군요. 아무래도 그 젊은 놈을 진짜 끝을 볼 생각인 것 같습니다."

원래부터 앞뒤 안 가리고 덤비는 놈이었다.

이젠 진짜 브레이크를 밟아도 듣질 않을 것이다.

"부회장님, 근데 이게 오히려 좋을 수도 있습니다."

"뭐?"

"저희가 아직 영인컴퍼니 세부 자료는 안 넘기지 않았습니까. 공정위는 그 자료까지 다 못 찾을 겁니다. 오히려 최 상무 기를 팍 꺾어 놓고 좋죠."

"아무리 그래도 실형 5년은 너무 심한 거 아니야."

"그 부분만 적당히 협의하면 되죠. 집유로 끝내면 나머지 조사도 협조하겠다, 이 정도면 완급 조절될 겁니다."

과연 그놈이 거기서 끝낼까. 의문이 들었지만, 이제 와 별다른 도리가 없다.

지금 자신이 쥐고 있는 정보로 밀당을 하며 동생의 형량을 줄여야 한다.

"젠장."

최영석은 깊은 한숨을 내쉬며 핸드폰을 들었다.

급한 연락을 받고 약속 장소로 나가자 상기된 최영석이 기다리고 있었다.

일감 몰아주기 조사 때도 이 정도는 아니었던 것 같은데.

요즘 들어 참 자주 보는 얼굴이다. 이러다 미운 정이 다시 고운 정으로 바뀌는 게 아닌지 모르겠다.

하지만 놈은 첫마디로 이러한 기대를 산산조각 내 주었다.

“언론에 보도 뿌린 게 이 과장 작품인가?”

이 과장이라.

한 번 비위 좀 맞춰 줬다고 벌써 아랫사람 취급이다.

“내가 기잡니까? 기사를 쓰게.”

“그렇게 요란 법석 다 떨며 기소를 치니까 서초구 기자들이 다 따라붙지!”

“동생 망신 한번 주겠다고 제보 자료 가져온 건 본인 아니에요? 왜 이제 와 갑자기 위하는 척이지. 막상 동생이 곤경에 처하니 형제애가 피어오르나.”

“누가 그것 때문에 그래? 이런 중차대한 일이 있으면 나랑 좀 상의를 해야 될 거 아니야. 안 그래도 지금 한명그룹이 온 언론사의 서포트를 다 받고 있는데, 나만 곤란하게 됐다고.”

준철은 최영석을 지그시 바라봤다.

“조사 상황을 왜 당신하고 공유해. 당신이 내 국장님이야?"

"그, 그야……."

"최영석 씨, 선은 넘지 맙시다. 당신은 제보자, 나는 조사관. 우리 사이에 상의할 문제는 없어."

"이 과장, 내 말을 오해한 모양인데……."

"제보자는 나한테 절대 이 과장이라 부르지 않아. 조사관님이라 부르지."

놈의 표정이 볼썽사납게 굳어졌다. 장단 좀 맞춰 주니 누굴 자기 사냥개로 안 모양이다.

"아, 제보자랑 나랑 상의할 문제가 하나 있긴 하네. 영인컴퍼니 거쳐 간 바지 사장들, 다 해외로 도피했던데 잡은 놈 있어요?"

최영석은 냉수를 벌컥 들이켰다.

"이 과장…… 아니, 조사관님이 그렇게 나온다면 나도 별 수 없지. 난 오늘 추가 제보하려고 온 게 아니라 형량 조절하러 왔소."

"무슨 조절?"

"내 동생 그만 물어뜯으시라고. 과징금 1천억이야 그렇다 쳐도 실형 5년은 당신이 너무 나갔어. 내가 원하는 건 동생을 경영권에서 따돌리는 거지, 감방에 처넣는 그림이 아니야."

준철이 고개를 갸웃거렸다.

"그러면 내가 최영석 씨한테 도움 많이 되겠네. 최 상무가 징역 5년 살면 경영권이 아니라 영영 한명그룹 쳐다도 못 볼 걸. 어쩌면 한명투자도 당신 손에 들어갈 수도 있고."

"내가 지금 끝장을 보자고 이러는 게 아니라니까! 투자든 부동산이든 다 관심 없어. 그건 동생이 알아서 가져가라 그래. 난 건설만 가져가면 된다고."

"허허 참. 회장님이 왜 돌아가실 때까지 후계자 안 정하셨는지 알겠네."

"뭐, 뭐야?"

"장남이 이렇게 우유부단한데 어느 누가 후계자로 정하겠어. 대체 당신 의중이 뭐야. 동생 제치고 확실히 그 왕좌 가지고 싶어? 아니면 적당히 기 싸움만 하다가 다시 원상태로 복귀?"

의외였다.

일부러 놈이 가장 기분 나쁠 만한 얘기로 긁어 봤는데 얼굴에 미동 하나 없다.

"다 필요 없고 이제 주사위는 던져졌습니다."

"지금 조사를 멈추지 않겠다는 건가?"

"아시면서. 이 사태를 가장 빨리 끝낼 수 있는 건 추가 제보예요. 바지 사장 신원 확보한 거 있으면 얼른 넘기고, 동생 깔끔하게 보내 줍시다."

시작은 놈이 했지만, 그렇다고 놈에게 조사 중단시킬 권한까지 있는 건 아니다.

기왕 이렇게 된 거 확인 한번 해야겠다. 한명투자의 지저분한 만행이 얼마나 더 있을지.

사실 처음부터 최영석의 들러리만 서다 끝낼 생각도 없었다.

이를 바라보는 최영석은 이제야 깨닫는 듯싶었다.

이리 · 승냥이 쫓아내자고 내가 호랑이를 불러왔구나. 이제 곧 60을 바라보는 둘째 동생이다.

그런 동생에게 실형 5년을 씌울 수는 없었다.

그가 원하는 건 경영권에서 따돌리는 그림이지, 동생이 옥사(獄死)하는 그림이 아니었기 때문이다.

"어차피 당신한텐 좋은 거 아니야. 영원히 따돌릴 수 있으니. 기왕 이렇게 된 거 삼남 비리도 아는 거 있으면 말해 줘요."

준철이 또다시 속을 긁자 최영석이 자리에서 일어나 버렸다.

"역시 한배를 오래 탈 팔자는 아니구먼. 추가 제보? 개소리 하지 마. 더 이상의 제보는 없을 테니까."

"그럼 여기서 끝? 바지 사장들 신변 확보는 못 했나 봐?"

"그래, 없어. 동생 놈이 아주 꽁꽁 숨겨 놔서 머리카락도 찾을 수 없더만."

"그래요? 이상하다. 지금 우리 쪽에선 초대 바지 사장이 한국에 들어왔단 얘기가 돌던데."

"정보 알아도 안 줘! 내가 너 같은 새끼를 믿을 거 같아?"

최영석은 기어코 욕지거리를 내뱉으며 자리를 떠나 버렸다.

"성질 머리 하고는."

준철은 혼자 남아 다 식은 커피를 들었다.

유 국장의 지시로 6개의 조사TF가 꾸려졌다.

뒤늦게 합류한 세 팀장은 시장감시국 사람으로 모두 금융 베테랑들이었다.

이들은 한명투자의 대출 과정이 얼마나 불합리했는지를 집중적으로 파헤쳤다.

덕분에 지금 수면 위에 드러난 사건도 얼마나 빙산의 일각이었는지 알 수 있었다.

"한명투자가 사모펀드를 조성해서 영인컴퍼니에 투자를 했어요. 근데 보통 부동산 사모펀드가 5년 만기인데, 여긴 15년 만기 상품으로 되어 있더군요."

"음……. 만기가 길다는 건 사실상 영구 대출이라는 뜻이죠?"

"네. 한 번만 연장해 줘도 30년 동안 투자금을 쓸 수 있습니다. 한명투자 전 상품을 다 뒤져 봐도 이 사례가 유일하더군요.”

밤낮없이 달려 온 조사에 끝이 보여 간다.

영인컴퍼니는 한명투자로부터 온갖 특혜를 받아 온 명실상부 최기석의 회사였다.

“하지만…… 모두 바지 사장을 써 입증은 요원합니다.”

“이렇게 많은 특혜가 있었는데도 안 될까요?”

“네. 그냥 재판 끝날 때까지 무조건 자기 거 아니라고 우기면 증불입니다. 자백이 나와야 돼요.”

대한민국에서 사모펀드 사기 사건은 한두 번이 아니었다.

심심할 때마다 한 번씩 일어나지만 그때마다 주도자들은 솜방망이 처벌에 그친다.

재판엔 수많은 증거가 필요한데, 늘 증거 부족으로 다 빠져나가 버리기 때문이다.

애석한 건 이번 사건에도 그 징조가 보인다는 것이다.

“알겠습니다. 뭐 그건 차차 확보하도록 하고, 최기석 상무는 영장 쳐 주세요.”

“구, 구속영장요?”

“네.”

“하지만 지금은 좀 섣부른 게 아닐까요. 증인부터 확보하고 움직이시는 게…….”

“최 상무 계속 바깥에 두면 증인하고 접선할 겁니다. 그 끈을 끊어야 증인도 불안함을 느끼고 협조적으로 나오죠.”

다들 난색을 표했다.

최영석이 조사를 돕기로 하다 이탈한 상황 아닌가. 재벌 총수를 구속시키는 건 조사가 실패로 끝났을 때 감당을 할 수가 없다.

게다가 지금 한명그룹은 안팎에서 편파 조사 의혹을 받는 실정. 칼로 들쑤시기만 하다 어이없이 끝나면 공정위가 붙어먹었단 소리도 나올 것이다.

팀장들 반응이 시원치 않자 준철이 책상을 한 번 내리쳤다.

"뒤에서 증거 인멸할 게 빤한데 어떻게 이걸 불구속 수사합니까? 검찰에 우리 입장 설명하고 반드시 받아 내 주세요. 반드시 구속 수사로 가야 합니다."

준철의 단호한 의지를 확인한 팀장들이 쏜살같이 회의실을 빠져나갔다.

구속영장까지 쳤으니 반드시 증인을 확보해야 한다. 아무래도 젊은 과장은 적당한 선에서 조사를 끝낼 생각이 없어 보였다.

—한 말씀만 해 주십쇼! 영인컴퍼니가 본인 회사 맞습니까?

—공정위에선 상당한 대출 특혜와 투자 특혜가 있었다고 밝혔습니다.

-사모펀드 만기가 어떻게 15년이나 될 수 있나요?

최기석의 구속 길엔 기자들이 가득 메워 진을 치고 있었다.

법원에서 이례적으로 영장을 빨리 발부한 건 그만큼 증거가 상당했기 때문이다.

여기저기 플래시 세례가 터지고 최기석에게 질문이 쏟아졌지만 그는 끝끝내 한마디도 입을 떼지 않았다.

검찰 조사에 성실하게 임하겠다는 상투적인 말도.

"허허. 이 옷도 오랜만이구먼. 이젠 잠옷처럼 느껴져."

수인복으로 갈아입은 최기석은 취조실에서 여유를 떨었다.

"편하시다니 다행이네요."

"편하지는 않고. 한두 달 입다 버리기엔 제격이지."

"못 들으셨나. 한두 달이 아니라 5년 동안 입으실 텐데."

최기석이 미간에 힘을 주자 준철이 서류를 내밀었다.

"거기서 1-2년 정도 빼 줄 의향은 있거든요? 우리 쉽게 갑시다. 영인컴퍼니 본인 소유고, 한명투자가 여기에 대출 특혜와 투자 특혜를 줬죠?"

"당최 무슨 소린지."

"다 부정하는 겁니까?"

"영인컴퍼니는, 퇴직한 임원들이 설립한 회사고 꽤 사업 아이템이 좋아 보여 우리가 투자를 했소."

"대출 특혜는?"

"아, 그 저금리 대출? 평생을 한명투자를 위해 헌신한 임원들인데, 그 정도 편의도 못 봐줍니까? 뭐 그게 불법 대출이었다 생각하면 내가 그 죗값은 받겠소."

탄탄한 시나리오를 들고 온 걸 보니 변호사와 말을 다 맞췄나 보다.

"아, 그리고 우린 그 대출을 이미 갚은 걸로 압니다만?"

"네. 동분서주하셨더군요. 부랴부랴 돈 끌어다 모으느라 애썼습니다."

"그럼 끝 아닙니까?"

"부당 대출 사실은 명백히 남아 있는데 어떻게 끝이에요?"

"그래서 갚았다는 거 아니요. 최소한 부실 회사는 아니었잖아."

"부실 회사가 아닌 것과 저리 대출을 한 건 다르지."

"아니, 뭐가 다르다는 거야? 그래서 다 갚았잖아."

준철은 최기석을 한심스럽게 쳐다봤다.

"누가 갚은 거 가지고 그래? 이게 무슨 버팀목 전세 대출이야? 소상공인 대출이야? 왜 말도 안 되는 저리로 기업한테 빌려주냐고."

"그, 그건 임원들……."

"전직 임원이었단 핑계는 그만둬. 공금을 임원 복지에 쓰면 그게 횡령이고 배임이니까. 못 갚으면 실형 10년을 받는 거지, 갚았다고 끝이 아니야. 당신의 불법 대출은 이미 지울 수 없는 흔적이라고."

언성을 높이자 놈이 주춤거렸다.

하지만 아직 믿을 만한 게 있었다.

"거 듣고 보니 좀 웃깁니다. 그래서 그게 내 회사라는 증거 있어?"

"영인컴퍼니 배당금이 해외 계좌 몇 바퀴 거쳐서 다 본인 통장으로 갔던데."

"나야 받을 돈 있어서 따로 받은 거고, 그게 그 돈이란 증거 없잖아. 어찌 됐건 나한테 가는 건 없다는 거네?"

성능 좋은 세탁기를 고용했나 보다. 돈세탁한 흔적은 들키지 않을 거란 자부심이 느껴졌다.

"그쯤 합시다. 우리가 돈세탁 흔적 못 찾겠어요. 시일은 걸리겠죠. 그냥 자백하면 우리가 실형 2년으로 끝낼 생각입니다."

"흥! 웃기는 소리. 너는 이미 큰형 개새끼잖아. 어디서 형량 가지고 흥정질이야."

준철이 굳은 얼굴로 물었다.

"누구 개?"

최기석은 아산에서 호랑이라도 마주친 것처럼 몸이 굳어버렸다. 그건 취조실에 들러리처럼 앉아 있는 변호사와 검사도 마찬가지였다.

준철의 얼굴에서 살기가 느껴졌기 때문이다.

말투는 시건방지지만 늘 선을 지키던 놈 아니었던가?

“다시 말해 봐. 내가 누구 개라고?”

“내, 내 말이 그렇다는 게 아니라 언론에서 그렇게 받아 적잖소. 공정위가 편파 조사를 한다. 차남을 겨냥한 표적 수사다.”

준철은 흥분을 가라앉혔다. 잠시 아픈 기억이 떠올라 과민 반응이 튀어나왔다. 말마따나 뉴스에서 다 그렇게 떠드는데 흥분할 필요는 없다.

애석하게도 최기석은 준철의 인내심을 오해하고 말았다.

“왜 대답이 없습니까? 뭐 아주 틀린 말은 아닌가 보지?”

“…….”

“하이고. 아니 땐 굴뚝에 연기 나랴 하더니. 인정은 하시는구먼. 나도 물읍시다. 대체 큰형이 당신한테 뭘 제시했지? 큰돈? 아님 자리 약속? 그것도 아니면 은퇴 후에 예우 좀 해 주겠대?”

“최기석 씨, 지금은 당신이 나한테 뭘 물을 게 아니라, 내가 묻는 말에 대답하는 자리야. 그 수인복 10년 동안 입고 싶지 않으면 똑바로 대답하는 게 좋을 거예요.”

“그럼 내 의구심부터 먼저 풀어! 정말로 이 사건을 아무 사심 없이 조사한다?”

놈이 기분 나쁜 웃음소리를 흘렸다.

"좋아, 그럴 수 있지. 백번 그럴 수 있지. 그럼 나를 찌른 이 제보 자료, 출처가 어디서 나왔습니까?"

"당신 최측근 전직 임원……."

"그놈들은 절대 아니야. 나한테 받은 그 퇴직금으로 섭섭지 않게 챙겨 줬고, 아직도 연락하고 있어. 이거 출처 큰형 아니야?"

"미안합니다. 공익 제보는 제보자 신상 누설이 절대 금지라. 근데 백번 양보해서 그렇다 쳐도. 지금 중요한 건 당신 대답이잖아요. 해명을 하세요."

"염병 떠네. 큰형 청부업자 새끼가. 쯧쯧."

그는 책상을 치며 자리에서 일어났다.

"홍 변호사, 내 답변은 알아서 준비해. 난 더 이상 할 말 없으니. 그리고 공정위 과장 양반도 그만 설치쇼. 취조는 검사가 하는 거지 공정위가 하는 게 아니야."

공정위에게 전속 고발권이 있다는 걸 몰라서 하는 소리가 아니다.

잠재적으로 가장 위험한 놈이니 더 이상 사건에 손을 못 대게 만드는 것이다.

"당신도 한번 망신 좀 당해 보라고. 흐흐."

그가 나가자 썰렁한 분위기가 되었다.

변호사는 안경을 한 번 쓰윽 올리더니, 서류 한 장을 내밀었다.

"우리가 우리 죄를 인정 안 하겠다는 거 아니에요. 이 정도 혐의는 인정할 테니, 딱 이쯤에서 그만둡시다. 안 그럼 피차 피곤해질 거요."

서류를 확인하니 장황한 변명들이 적혀 있었다.

다른 자료는 볼 필요가 없다. 실형 1년에 집유 2년.

금산분리 위반, 불법대출 혐의는 아예 적혀 있지도 않다. 금산분리 위반은 무혐의, 불법대출은 업무상 과실로 둔갑되어 있었다.

황당할 지경이었다. 아무리 법 위에 있다는 게 재벌이라지만 죄목도 자기가 정하고 형량도 자기가 정해 버린다. 판사와 검사의 권력을 합쳤다는 건가?

"만약 우리 요구 조건에 응하지 않으면, 우리도 정말 더러운 방법으로 갈 수밖에 없습니다. 다른 사람도 아니고, 조사관님 본인이 피곤해질 거예요."

"내가 여기서 더 피곤할 게 있습니까? 이미 일주일째나 집에 못 가고 있는데."

"언론에 자료 돌린 건 공정위의 실수였소. 이미 사람들은 공정위의 진정성에 의문을 보이고 있거든. 우린 그 의구심에 불을 지필 겁니다."

언론플레이로 끌고 가겠다는 건가.

하긴 놈들이 가지고 있는 유일한 카드는 조사관을 매도하는 것뿐이다.

사실 시기가 좋지 않아, 대중이 혹하기 딱 좋다.

하여 담당 검사가 은근한 눈치를 보내며 이쯤에서 합의하자고 재촉했다.

찍찍.

"법정에서 봅시다."

이쯤 했으면 대답이 됐겠지.

⊛

[처음부터 계획된 조사?]

[사건 배후 논란, 공정하지 않은 공정거래위원회]

논리로 안 되니 뒤를 털기로 작정한 모양이다.

이튿날부턴 음해성 보도가 쏟아지기 시작했다.

공정위가 편파적으로 조사를 진행했고, 대가성이 있다는 게 내용의 골자였다.

[청부업자 공정거래위원회]

[제보 출처는 장남?]

생각보다 그 파장은 엄청났다. 한명투자는 투자 그룹답게 광고를 많이 뿌리는 기업.

그쪽에 사주받고 글을 쓰는 자들이 많을 수밖에 없다.

이튿날 출근길엔 아예 기자들이 줄을 지었다.

–최근 장남 최영석 부회장과 공정위의 청탁 관계 의혹이 제기되고 있습니까. 이게 사실입니까?

–이 제보의 출처가 어디였습니까.

준철은 좌우를 물리치며 묵묵히 자리를 벗어났다.

열거된 내용 자체는 사실이니 부정할 수 없었다. 어설픈 변명을 내놔 봤자 오해만 더 커질 것이다.

"저…… 과장님."

"괜찮다, 아무것도 신경 쓰지 마."

"아무리 그래도……."

"내가 감당해. 지금 영인컴퍼니 실소유주 찾았어?"

서 팀장은 고개를 저었다.

"이미 다 한국 떴어요. 머리카락도 못 찾겠더군요."

"실소유주 입증보단 불법 대출로 가는 게 좋겠습니다."

현재로선 영인컴퍼니가 최기석이 소유라는 증거가 없다.

거쳐 간 바지사장들이 다 해외로 떠나 버렸으니, 찾기 쉽지 않다.

남은 건 왜 영인컴퍼니에게 저리 대출을 해 줬냐 하는 것.

이럴 경우 연역적 추론으로 당연히 실소유주가 되겠지만, 법은 답답하고 무식하다.

"불법 대출로 가닥을 잡으시죠."

팀장 하나가 그리 말했지만 준철은 고개를 저었다.

"이거 어차피 해도 안 됩니다. 이미 대출금 다 갚았다면서요."

"그건 그렇죠."

"대출 과정에서의 자기 내부 기준이 있었다고 둘러대면 형량도 미미할 겁니다."

제일 화가 나는 건 최기석이 부랴부랴 돈을 갚았다는 것이다.

이러면 법원도 형량에 참작해 준다.

불법 대출은 어디까지나 부실 기업에 대출 허가가 떨어졌을 때 형량이 커지지, 건실 기업에게 약간의 특혜를 줘 봤자 크게 문제 되지 않는다.

이를 아는 최기석이 부랴부랴 대출을 갚으며 건실 기업임을 입증한 것이다.

"최기석이 보석 신청했어?"

"네. 지병을 앓고 있다고…… 20억짜리 보석인데, 아마 허가될 것 같습니다."

시일이 얼마 남지 않았다.

그나마 놈을 가둬 두고 있으니, 이 정도지 나오면 더욱 교묘하게 증거를 인멸할 것이다. 사실상 막지도 못하겠지.

그렇게 한숨을 내쉴 때, 갑자기 배 팀장이 달려와 상기된 얼굴로 말했다.

"과, 과장님. 영인컴퍼니 바지사장 하나가 한국에 와 있었답니다."

"뭐?"

"공소시효 다 끝난 놈이라 한국에 왔나 봐요. 지금 소재지 파악했다는데 이거……."

"지금 거기 어디야?! 당장 출발해!"

❁

"김성균 본부장 그만하자. 어차피 서로 계속 싸워 봤자 득될 거 없잖아?"

"뭘?"

"거기 전략실에서 우리 최 상무님 약점 털고 있는 거 다 알아. 근데 우리라곤 가만있을까? 우리도 마음만 먹으면 최영석 부회장 먼지 다 찾아낼 수도 있어. 이쯤에서 휴전하는 게 어때?"

오성규 부사장.

과거에 인연이 참 많았던 자다.

최기석의 오른팔로 늘 더러운 일을 담당했던 놈이었으니. 모시던 주군은 서로 경쟁 관계였고 우리도 서로 앙숙일 수밖에 없었다.

"마음만 먹으면 먼지를 다 찾아낸다……가 아니라 이미 다 찾지 않았나?"

"뭐?"

"우리 전략실이 움직이는 건 네들이 먼저 우리 부회장님 비자금 내역을 찾았단 첩보가 입수돼서야. 휴전 제안은 내가 꺼내는 게 맞지 않겠어?"

"흐하핫. 하여간 정보통 하나는 알아줘야 돼. 그건 또 어떻게 알았어. 한명건설은 국정원에 빨대라도 꽂아 두셨나."

"말 돌리지 말고 먼저 확실히 대답해. 우리 공격할 거야? 그럼 우리도 끝장 본다."

사심은 없었지만 우리는 만나서 으르렁거리는 게 일이었다.

사실 오성규 부사장은 내게 두려운 존재였다.

일처리 확실하고, 눈치 빠르고, 무엇보다 권모술수에 능해 내 허를 찔렀던 적이 한두 번이 아니다.

틈만 나면 자신의 약점을 찾아댔으니, 최영석도 여간 거슬려 했던 게 아니다.

"듣고 보니 자네 말이 맞구먼. 내가 먼저 사과하지. 우리 그만둔다, 그럼 그쪽도 그만둬 줄 수 있나."

"거기서 그만두면 우리도 그만둬. 약속하지."

"좋아. 그럼 이제 일어날까."

"아, 한 가지만 더."

"제안할 게 또 남았나?"

"이건 제안이 아니라 부탁인데……. 최 상무 설득 좀 해 줄 수 없나."

"뭐?"

"한국 사회는 아직도 장자 계승이 원칙이야. 회장님이 부회장을 건설 임원에 앉힌 건 건설을 맡기겠단 뜻이겠지. 만약 우리가 물려받으면 한명투자 지분 깔끔하게 정리해서 독립시켜 준다."

오성규는 쓴웃음을 지으며 고개를 저었다.

"그건 내가 설득 못 하겠군. 우리 상무님은 아직 한명건설의 왕좌가 공석이라 생각해서 말이야."

"그러니까 설득을……."

"무슨 명분으로 설득해? 말이 나와서 하는 말이지만 최 부회장은 지독히도 무능해. 하청들 쥐어짜서 영업이익만 높이는 게 어떻게 경영 실적이냔 말이야."

"……."

"물론 최 상무도 더러운 짓은 많이 하지. 하지만 그에 못지 않은 실적도 있다. 그러지 말고 자네야말로 한번 잘 생각해 봐. 최영석이 찌를 수 있는 비수 몇 개 가지고 우리 쪽에 붙어. 우리 상무님은 전향자에게 아주 관대하다."

나는 껄껄 웃었다.

"웃기는군. 부회장님도 내게 같은 소릴 하던데."

"뭐?"

"최 상무 더러운 똥물 몇 개 가지고 우리 쪽에 전향해. 내가 책임지고 자네 계열사 사장 자리는 줄게."

"흐흐. 콩 심은 데 콩 난다더니 형제가 똑같은 생각이구먼."

"아무래도 타협 못 볼 문제겠지?"

"그래, 먼저 얘기 꺼내서 미안하다. 그만하자."

오성규는 자리에서 일어나더니 내게 말했다.

"그래도 언제 한번 술 한잔하지. 두 형제들 진흙탕 싸움 대리인 말고 인간 대 인간으로."

"그런 날이 올까. 하하."

"뭐, 언제까지 가겠어. 회장님 돌아가시면 형제들도 평생 싸우진 않겠지."

"그건 그러네."

"아무튼 난 오늘 얘기 잘 끝난 걸로 알고 이만 일어날게."

그것이 오성규와의 마지막 대화였다.

허심탄회하게 술 한잔할 수 있는 날은 영영 내게 오지 않았다.

김성균과 다른 점이 있다면 놈은 평생 신임을 받았고 김성균은 못 받았다는 것이다.

놈은 영인컴퍼니 초대 사장으로 막대한 이권을 배당받았다. 그간 충성했던 대가를 일시불로 받았을 것이겠지.

반대로 김성균은 충성의 대가를 받기 직전에 위장 교통사고를 당했다.

후회가 든다.

이럴 줄 알았다면 그때 그 제안을 받아들일걸. 최 상무가 그럼 날 진짜로 환대해 줬을지도 모를 텐데.

“오랜만입니다. 오성규 씨.”

취조실에 들어가 인사하자 놈이 날 올려다보더니 고개를 갸웃거렸다.

“나를 압니까?”

다음 권으로 이어집니다

천재 셰프 회귀하다

신사 현대 판타지 장편소설

독보적 미각의 천재 셰프
절망의 불구덩이에서 다시 기회를 얻다!

가스 폭발에서 사람을 구한 대가로
미각도, 손도 잃은 도진
재기를 마음먹은 어느 날
또다시 가스 폭발 사고에 휘말리고
한 번만 더 불 앞에 서기를 바라며 눈을 감는데……

미각과 손을 가져간 화마, 2회 차 인생을 선물하다?

고등학생으로 회귀한 후
과거의 지식과 경험을 바탕으로
요리계에 지각 변동을 일으키다!

요식업계 초신성에서 파인다이닝 오너 셰프까지
요리 명장의 인생 플레이팅!

사령왕 카르나크

임경배 판타지 장편소설

『권왕전생』『이계 검왕 생존기』의 작가 임경배 신작!
죽음의 지배자, 사령왕 카르나크의 회귀 개과천선(?)기!

세계를 발밑에 둔 지 어언 100년
욕망도 감각도 없이 무심히 흘러가는 세월 속에서
결국 최후의 수단으로 회귀를 결심한 사령왕 카르나크!

충성스러운 심복, 데스 나이트 바로스와 함께
막 사령술에 입문한 때로 회귀하는 데 성공!
한 맺힌 먹방을 만끽하는 것도 잠시
뭔가 세상이…… 내가 알던 것과 좀 다르다?

세계의 절대 악은 아직 아무 짓도 하지 않았는데
멸망을 향해 미친 듯이 달려가는 이 세상
저 악의 축들을 저지해야 한다,
인간답게(!) 잘 먹고 잘 살기 위해서는!

송장벌레 신무협 장편소설

귀신같은 창귀槍鬼가 돌아왔다,
때 묻지 않은 어린 시절의 몸으로!

피로 몸을 씻던 전장의 말단 독종
구르고 굴러 지고의 경지까지 올랐으나……

혈교의 혈겁을 막기 위한 회귀인가
의형제의 복수를 위한 회귀인가
알 수 없다
전생에서 그를 막던 모든 것을 치울 뿐

"내 의형의 가슴팍을 칼로 도려내기도 했고?"
"무, 무슨 소리야…… 그런 적 없어!"
"그런 적 있어. 기억은 안 나겠지만."

매 걸음마다 피도 눈물도 없는 전투
세상 모든 것이 그를 꺾으려 든다!

꿈의 도약, 로크에서 하십시오
(주)로크미디어에서 신인 작가를 모십니다

즐거운 세상, 로크미디어는 꿈을 사랑하고 도전을 두려워하지 않는 작가분들의 참신한 작품을 기다리고 있습니다. 21세기 장르 문학계를 이끌어 갈 차세대 선두 주자 (주)로크미디어에서 여러분의 나래를 활짝 펴 보시길 바랍니다.

모집 분야 판타지와 무협을 포함한 장르 문학
모집 대상 아마추어 작가, 인터넷 작가
모집 기한 수시 모집

작품 접수 시 유의 사항

1. 파일명은 작가명_작품명.hwp형식을 갖춰 주십시오.
1. 파일에 들어갈 내용은 다음과 같습니다.
   - 성명(필명인 경우 실명을 밝혀 주세요), 연락처, 이메일 주소.
   - 제목, 기획 의도.
   - A4 용지 1장 분량의 등장인물 소개.
   - A4 용지 2장 분량의 전체 줄거리.
   - 본문.
1. 작품이 인터넷에 연재되고 있다면, 게시판명과 사이트의 구체적이고 정확한 주소를 기재해 주십시오.

선택된 작품은 정식 계약 후 출판물로 간행되어 전국 서점에 유통됩니다.
작가분은 (주)로크미디어의 전폭적인 지원하에 전속 작가로 활동하시게 됩니다.
※ 자세한 내용은 로크미디어 홈페이지(rokmedia.com)를 참조하세요.

(04167)서울시 마포구 마포대로 45 일진빌딩 6층
(주)로크미디어 편집부 신간 기획 담당자 앞
전화 : 02 - 3273 - 5135
www.rokmedia.com 이메일 : rokmedia@empas.com